アーツ・マネジメントの基本

中尾知彦

ars incognita
慶應義塾大学三田哲学会叢書

目次

第一章　アーツ・マネジメントの基本概念と歴史

はじめに

アーツ・マネジメント（アート・マネジメント）は、新しい分野であるとしばしばいわれる。詳しくは後述するが、第二次世界大戦後にアーツ・マネジメントあるいはアーツ・アドミニストレーションという言葉と概念が現れ、その後、日本に紹介・移入された外来のものである。本書は、アーツ・マネジメントの歴史と世界の動向を踏まえたアーツ・マネジメントの基本概念と、アーツ・マネジメントの学習において必須と考えられる基幹科目を含んだ標準的な教科書として使用できるよう書かれている。とはいえ新書版であるがゆえに、紙幅が限られており、基幹科目の諸分野のうち四つの分野のみを解説し、各分野の内容もエッセンスだけに絞らざるを得なかった。より深い学習には、各分野別の概説書や専門書等で知識を拡充していただけたらと思う。

一・一　アーツ・マネジメントの名称

アーツ・マネジメントは、英語ではArts ManagementともArts Administrationともいわれるが、英語圏の専門家の間でもそれらの二つの語の意味の違いが十分に認識され、説明・共有されているとは言い難い。初学者はArts ManagementとArts Administrationはほぼ同じ意味と考えていて差し支えないように思う。アメリカでは、Arts Administrationとしばしばいわれる。そして、英語ではArtsと複数形で書かれることが多い(1)。

日本では、アーツ（アート）・マネジメントとおおむねカタカナで定着してきた。（一部、芸術経営〔学〕という訳をあてている書籍もある。）日本の近隣地域に目を向けると、中国本土では、英語のArts Administrationのことを艺术管理（芸術管理）といっている。台湾では、藝術行政（芸術行政）といい、おおむね藝術行政という語をArts Administrationに対応させ、藝術管理をArts Managementに対応させていると聞く。韓国では、예술경영（芸術経営）と使用する。ちなみに韓国では、マーケティングという語は、日本語のカタカナ表記のように「マーケティング 마케팅」という。

概念や扱う製品を広げ、文化マネジメントCultural Managementといわれることもある。ドイツ語ではKulturmanagementといわれることがしばしばある。（Kunstmanagementという言い方もされることがある。）

一・二　アーツ・マネジメントの歴史

アーツ・マネジメントの歴史については、主に二つの異なる記述が見られる。一つ目はアーツ・マネジメントという言葉が現れるより前からある、芸術に関する集団的・組織的な営みの始まりをアーツ・マネジメントの開始とする解釈である。アーツ・マネジメントという言葉が使われ始めるよりずっと前から芸術の世界にもマネジメント（後述）は存在していたし、アーツ・マネージャーとは呼ばれていなかったにしても、アーツ・マネージャーに近い働きをしていた人たちがいたわけである。世界中の大学のアーツ・マネジメント教育で広く使用されているWilliam J. Byrnes著の教科書『Management and the Arts』[2]の第二章では、主にヨーロッパとアメリカの古代、中世、ルネサンス、一七世紀から一九世紀、現代に至るまでの組織的な芸術活動について概観し、それらをアーツ・マネージャーの歴史として説明している。

二つ目の種類の記述は、アーツ・マネジメントという言葉と概念が現れてからのものである。アーツ・マネジメントの誕生には発想の転換があったわけであり、そこを区切りとする考え方である。Richard A. Peterson の "From Impresario to Arts Administrator: Formal Accountability in Nonprofit

Cultural Organization"というアメリカにおける歴史に関する論文[3]では、出自や環境からの影響が強く、経験から学んだ前時代的な「インプレサリオ」(興行主)と、正規の教育を受けることにより訓練された近・現代的なアーツ・アドミニストレーター(アーツ・マネージャー)とを区別し、その差異と移り変わりを歴史的に検証し論じている。

本章ではアーツ・マネジメントという概念の誕生によって従来とは違った意味合いが生まれ、発想の転換があったことに着目し、言葉と概念が現れた第二次世界大戦以降の歴史を概観していく。特にアーツ・マネジメントにおいて先駆的だった英米の発祥の事情と歴史を解説し、次に、遅れて導入された日本の歴史を振り返る。一番目の視点ではどちらかといえば芸術の歴史に近くなり、二番目の視点ではアーツ・マネジメント教育の歴史になる。アーツ・マネジメントは、アーツ・マネージャーのための教育から誕生したといういきさつがあるからである。本書の目的は芸術史ではないので、二番目の視点を採用する。

英国では、アーツ・マネジメントに隣接する短期のコースとしては、以下のものなどが行われていた[4]。

・ABC Television(Thames Television)による Repertory Theatre Trainee Directors Scheme(一九五八年〜)
・アーツ・カウンシルによるプログラム(ディレクター Arts Council Trainee Directors Scheme 一九六六

年〜、デザイナー一九六一／六二年〜、技術一九七〇／七一年〜）

・the Council of Repertory Theatres（CORT）が一九五九年に開始し一九六三年よりアーツ・カウンシルとの協力で再開したプログラム（一九七〇／七一年からは the Polytechnic of Central London の School of Management Studies における六週間の理論的内容の短期コースもここに加えられている。）

・the Institute of Municipal Entertainment によるプログラム

ほかに、BBC、自治体関連組織、実演組織などによる研修も実施されてきた。

また、異なるルーツを持ち、領域や対象が特定化されている博物館協会 the Museums Association（一九三〇年〜）や図書館協会 the Library Association でも研修は行われていた。ビジュアル・アーツ分野に限っていえば、マンチェスター大学がウィットワース美術館と協力して一二か月の「Postgraduate Course in Art Gallery and Museum Studies」を一九七一年から開始している。

アーツ・マネジメントの歴史において重要であり、しばしば言及されるのが、一九六七／六八年から the Polytechnic of Central London の School of Management Studies で始まった一年のアーツ・アドミニストレーションのコースである。(5)

一方、アメリカにおいては、記録に見られるものとしては、アメリカ・オーケストラ連盟

American Symphony Orchestra League（現在のLeague of American Orchestras）がマネジメント・スキルの重要性と必要性を認識し、一九五二年に開始したプログラムがある。これは、現場での問題意識から開始された短期のものであった。このプログラムは、その後Avalon FoundationとMartha Baird Rockefeller Fund for Musicの支援を得て拡充をしていく。一九六一年からはフォード財団Ford Foundationが同様のプログラムを開始している。[6] アメリカにおけるアーツ・マネジメント・プログラムも、こうした短期で小規模のものに留まることはなく、教育訓練の場は大学へと移り発展していく。

初期の一九六〇年代には、以下の大学の大学院にてアーツ・マネジメント・プログラムが設置されている。[7]

一九六六年　イェール大学
一九六七年／一九七六年　シンシナティ大学
一九六九年　ウィスコンシン大学マジソン校
一九六九年　カリフォルニア大学ロサンゼルス校（ＵＣＬＡ）
※カナダのヨーク大学も一九六九年[8]にプログラムを開始している。

一九七〇年よりハーバード大学にて四週間の[9]夏期セミナー「Harvard Summer School Institute in Arts Administration's Summer Training Program for Arts Administrators」も開催され[10]、一九七〇年代、一九八〇年代にはさらに多くの大学院がプログラムを開始させていくことになる。

日本の高等教育機関では、一九八九年に京都の成安女子短期大学造形芸術学部デザイン科において「アートプログラミング」という名称の授業が開講されている[11]。この授業は芸術家養成が目的ではなく、芸術家との間を取り持つ人材を育てるということを目標としていたが、海外のアーツ・マネジメントの情報や日本国内での関連する議論の影響は少なく、現場における問題意識から始まったものであった。そのせいか、授業名は「アートプログラミング」という造語が使用され、アーツ・マネジメントという語は使用されていない。

関東学院女子短期大学経営情報科（二〇〇四年に短大廃止）では、一九八七年に「芸術情報論」という科目が開設され、一九九〇年からは「芸術情報演習」というアーツ・マネジメント・トレーニングに関係する授業が開始されたという記述が見られる[12]。

一九九一年には、慶應義塾大学文学部にて上演系の「アート・プロデュース」（当時の科目の英語名はartistic production[13]）、展示系の「アート・マネジメント」というアート・フォームにより分けた二つの講義が開講された。この講座には、当初は社会人も多数受講しており、授業内容は現場からのゲスト・スピーカーを招く形式のものであった。

武蔵野美術大学では、一九九二年から「アート・マネージメントA」「アート・マネージメントB」という科目が開講されている。[14]

以上のものは単一の授業であったが、その後、日本でもアーツ・マネジメントを専攻できるコースが設置されていく。一九九四年に昭和音楽大学がアーツ・マネジメントを学べるコースとして音楽芸術運営学科を開設した。[15]（それより前の一九九二年四月には、昭和音楽芸術学院の舞台芸術科に修業年限二年の音楽マネージメントコースと舞台スタッフコースが設置されている。[16]）

二〇〇〇年に設置された静岡文化芸術大学の文化政策学部には、アーツ・マネジメントと文化政策を専攻できる学科が設けられた（芸術文化学科と文化政策学科）。二〇〇一年には京都橘女子大学（現、京都橘大学）が文化政策学部（その後、現代ビジネス学部を経て、経営学部に改組）を設置した。

高等教育機関のほか、一九九〇年代頃から自治体職員向けの講座（例えば、群馬県、愛知県、大阪府、富山県、新潟県など）も多く開催された。[17] これらは、一九八〇年代〜一九九〇年代に公立文化施設が各地でさかんに建てられ、ハード（建物）はあってもそこで行うソフト（催し物、イベント）が供給できない状況が背景にあり、その解決のため実施され始めたものである。[18] そのため、空いた公立文化施設をどう活性化するか、文化事業やイベント（製品レベル）をどう実施するかがアーツ・マネジメントの課題であるというような、狭い解釈も当時はしばしばあった。

では、先駆とされる英国では、アーツ・マネジメントという概念がどのように誕生したのか、その背景を文献に基づき歴史的に考えると以下のようになる。一九五〇年代から一九七〇年代初頭にかけて、芸術への公的補助が増加し、芸術への支援は私的なものから公的なものへと移っていった。もとは税金に由来する公的支援を受ける組織は、透明性を確保し、効率的かつ効果的な経営をする必要がある。ところが、当時の芸術組織のマネジメントは、「無計画で素人のようなやり方」をしており、「回避可能な多くの経営的危機を避けられず」、他の産業であれば悪いマネジメントをしているとみなさざるを得ない状況であった。アーツ・マネージャーは、「良くないアドミニストレーターとしての、自分自身の失敗から学んでいくしか選択肢がなく」、つまり「経験から学んでいた[19]」。

失敗から学ぶということは、経験から学ぶ、経験則で行うということであり[20]、そのようなやり方は効率的ではないし、伝達も十分されない可能性がある。芸術と芸術組織の健全な発展のためには、芸術と経営管理のバランスが必要であるのに、「より多くの人が経営管理よりも芸術に惹きつけられ[21]」、経営管理は軽んじられる傾向がある。芸術のことだけを考えることにより、社会的責任や組織の健全性・持続性を忘れた芸術組織の事例は枚挙に暇がない。そして、芸術と経営管理の両方の十分な能力を持てる人は稀であり[22]、もしそれが真実なら分業[23]をする必要がある。そのような状況で、経営についての正規の専門教育を受け、知識やスキルに加えて公的な責任感を持ち、芸術と経営のバランスがとれる「訓練をされた／適格なアドミニストレーター（trained administrator／qualifed administrator）[24]」への必要性が高まりつつあった。このような背景から生まれたのがアーツ・マネジメント教育である。

発祥の事情や歴史を踏まえて解釈すると、アーツ・マネジメントとは以上のようなものになる。これは遠い異国のことというわけではなく、現代日本にもあてはまり、直面している問題ではないだろうか。概念の修正や拡張はありうるが、これがアーツ・マネジメントの中心概念であり、理解をしておく必要がある。

一・三　アーツ・マネジメントの定義

前節ではアーツ・マネジメントの歴史を遡ってきた。次に、アーツ・マネジメントについての説明や定義も知っておく必要がある。特に日本ではアーツ・マネジメントは論じる人によって様々な文脈で解釈・使用されており、他国には見られない状況が生じているが、文献によるエビデンスに基づけば、アーツ・マネジメントは歴史的に元来どのような意味であったのだろうか。

前述したハーバード・サマー・スクールに関わったStephen A. Greyserは、アーツ・アドミニストレーションを簡潔に「the management of arts organizations（芸術組織のマネジメント）」と説明している。[25] Harvey Shoreは、「アーツ・アドミニストレーションという用語は、ダンスの団体、博物館、オペラ団体、オーケストラ、劇団のような、芸術組織のマネジメントを意味する」（筆者訳）と解説している。[26] Tem Horwitzの著した『Arts Administration』という書籍の副題は、『How to Set Up and Run a Successful Nonprofit Arts Organization』となっており、それはこの書籍の内容が非営利芸術組織の運営に関するものということを意味している。[27] これらに共通するのは、アーツ・マネジメント（あるいはアーツ・アドミニストレーション）が芸術に関することというよりも、アーツ・マネジメントにおいて中心となる視点は芸術組織という点である。つまり、アーツ・マネジメントとは、いろいろな種類の組織がある中で、芸術「組織」の「マネジメント」という意味になる。

マネジメントとは、語源としてはラテン語に由来し、（馬を手で）御するという意味であり、一般的には、他の人を使って何かをさせる、他の人に一定の仕事をさせる、という意味になる。つまり、人や組織（後述）をいかに適切に動かすかということである。辞書的な意味としては、managementという語は、一．取扱い、統御、操縦、運用、二．経営、管理、三．経営力、経営手腕、四．経営幹部、経営陣、経営者（側）、といった意味である。ここで我々が考えていくのは、芸術組織をいかに適切に動かしていくか、芸術組織をいかに適切に「経営」していくかという意味になるだろう。次節で述べるカリキュラム・スタンダードのことも考え合わせると、ここではマネジメント≠経営ととらえて論を進めていきたい。

経営というと多くの誤解があり、その代表的なものが、経営とはお金に関すること、経営は利潤追求のためのものといったものである。また、経営というと、いく人かの人は企業経営のことを思い浮かべるであろう。資本主義社会では、いうまでもなく、営利企業（主に株式会社）が経済的にも社会的にも大きなインパクトを持つ。営利企業の経営は、実務上でも、研究上でも、重要な分野である。しかし、社会は株式会社だけで成り立っているわけではない。市場メカニズムは完全なものではなく、**市場の失敗** market failure は起こりうる。市場が失敗する領域を、政府や非営利組織が補い、是正する。そして、営利組織にマネジメントが存在するのと同じく、非営利や公共の組織にもマネジメントは存在しているはずであるし、存在していなければならない。しかも、非営利組織の一部は公的支援を受けることがあり、その場合は社会的責任の意識をより強く持ち、社会的なミッション（使命）を達成するための効率的かつ効果的なマネジメントをしなければならない。

マネジメントに関しては様々な説明や定義があり[28]、一つの例であるが、Peter F. Drucker はマネジメントの役割について以下の三つを挙げている。

マネジメントの三つの役割
一．自らの組織に特有の目的とミッションを果たす。
二．仕事を生産的なものとし、働く人たちに成果をあげさせる。
三．自らが社会に与えるインパクトを処理するとともに、社会的な貢献を行う。

マネジメントとは、社会、環境、経済、人と組織を尊重しつつ目的とミッションを達成するものであり、ましてやお金儲けだけのものと思うのは偏狭な見方であることがわかるだろう。

多くの国では営利組織のほかに非営利や公共の組織があり、それぞれマネジメントを行っているわけだが、実は営利と非営利との境界はそれほど明確なものとはいえない。アーツ・マネジメントも伝統的には非営利のマネジメントを想定して始まったのだが、アーツ・マネジメントという分野の中に営利組織も一部含めて論じられることがある。英語では art と entertainment という言葉とがあり、二語を連ねて使用する例も少なくない。この場合、art は非営利に傾いたニュアンスがあり、entertainment は営利に傾いた言葉である。art and entertainment というと、非営利も営利も含むという意味合いが出る。entertainment business といえば、営利を中心に指す言葉である。それと対比され、アーツ・マネジメントは、歴史的・伝統的には、非営利を中心とした芸術組織の経営という意味になるであろう。

一・四　何をマネジメントするのか？

では、アーツ・マネジメントが「マネジメント」をするものだとして、誰が何をマネジメントするのか。マネジメントをする対象は、アートなのか？　芸術作品なのか？　アーティストなのか？　文化事業なのか？　芸術組織 Arts Organization なのか？　それとも、地域や都市や社会なのか？　マネジメントの対象となるのは、芸術組織と考えるのが本書の立場である。芸術作品は、芸術組織が生産する製品 Artistic Product と位置づけられる。公演や展覧会等の文化事業は、製品レベルのものであり、複数の製品を組み合わせたもの（Product Mix）が通常は年間の事業計画であり、それを毎年実施することが継続事業体としての活動となる。（例えば、自動車メーカーにおける製品は自動車やその付随サービスなどであり、アパレル・メーカーにおける製品は服などであるが、芸術組織においては同じ位置づけのものが芸術作品（およびその提供）であるので、芸術組織が提供する財やサービスを製品 product とここでは呼び、芸術組織の創造や制作を生産 produce と呼んでいく。）芸術組織のマネジメントの一部として、製品戦略論や生産管理といった分野がある。アーティストは芸術組織の被雇用者やあるいは外部契約者の可能性もあるが、アーティストをマネジメントするのはアーティスト・マネジメントという別分野がある。地域や都市や社会への働きかけは芸術組織のミッションの一部にはなりうるが、タウン・マネジメント、エリア・マネジメント、まちづくり、都市計画といった別分野もある。もちろん、多くの分野は相互に影響関係がある。そして、芸術組織をマネジメントするのはアーツ・マネージャーであり、その養成を目的とするのがアーツ・マネジメント・プログラムである。

一・五　他分野との関係と整理

前節で説明したように、アーツ・マネジメントは実務や研究の対象となる領域を表しているともいえる。より広くインパクトのある分野として、Business Administration 経営管理・企業経営がある。そして営利を目的としない経営には、公共経営・公経営・行政経営・行政管理 Public Administration、Public Management、非営利経営 Non-profit Management（Not-for-profit Management）がある。歴史的には、アーツ・マネジメントは非営利経営が中心であるのだが、前に述べたように、営利と非営利の境界は明確なものではない。アーツ・マネジメントに営利の芸術組織の経営の一部も含む場合がある。アーツ・マネジメントと類似した分野に、福祉経営 Social Welfare Management/Administration、学校経営 Educational Management/Administration、病院経営 Hospital Management/ Administration といった分野もある。ちなみに、アーツ・マネージャーと同様の発想のものに、医療経営士、介護福祉経営士といった民間資格もある。

図 1.1

- 経営管理・企業経営
  Business Administration
- 非営利経営
  Non-profit Management
  （Not-for-profit Management）
- 公共経営・公経営・行政経営・
  行政管理
  Public Administration / Public
  Management

- アーツ・マネジメント
  （芸術組織経営）
- 福祉経営
  Social Welfare Management/
  Administration
- 学校経営
  Educational Management/
  Administration
- 病院経営
  Hospital Management/Adminis-
  tration

など

アーツ・マネジメントとほぼ同時期に日本へ紹介されたのが文化政策と文化経済学である。これらは相互に密接に関連している隣接分野ではあるが、別分野と理解するのが妥当であろう。

文化政策は、公共政策の一部であり、経済政策、社会政策、教育政策、医療政策、環境政策、農業・水産政策、食料政策、外交政策、エネルギー政策といった公共政策が扱う諸領域がある中で、文化や芸術の領域を扱う公共政策のことをいう。文化政策は、主に国や地方自治体を主体とした「政策」に関する概念であり、文化への関与のあり方や理念等を探究する。それに対し、アーツ・マネジメントが非営利を中心とした芸術組織の「経営」に関する概念であることは、前に述べた通りである。

文化政策とアーツ・マネジメントは、互いに関連した分野ではあるが、同一のものではないし、またアーツ・マネジメントが文化政策の中に内包されるというわけでもない。二領域は共に学際的な分野ではあるが、ベースとなる学問分野にも相違がある。情報を補足するならば、第一に、アーツ・マネジメント教育は、政府の文化政策や教育政策の一部として採り上げられ発展してきたという経緯がある。第二に、アーツ・マネージャーにとって文化政策についての知識は必須であるため、アーツ・マネジメント教育の基幹科目の中に文化政策が授業科目として含まれているという事情もある。第三に、学問的には相互に緊密な影響がある。このような諸事情はあるのだが、各分野はそれぞれの役割と意義を持っていると考えられる。

一・六　アーツ・マネジメント教育では何を学ぶのか？（カリキュラム・スタンダード）

アーツ・マネジメント教育はその歴史の中で、多くの国でおおむね共通に開講される基幹科目といえるものがある。アーツ・アドミニストレーション教育者連盟 Association of Arts Administration Educators, AAAE では、二〇〇八年よりカリキュラムのスタンダード（標準的カリキュラム）が作成・共有されている。アーツ・アドミニストレーション教育者連盟は世界の大学が加盟しているものの、事務局がアメリカにあり加盟大学の多数がアメリカの大学である。それゆえ、アメリカの環境を反映しているのだが、標準的な基幹科目はこの中に含まれている。スタンダードは学部のものと大学院のものがあるが、ここでは二〇二一年時点で最新の大学院の二〇一四年版スタンダードを提示する。学部のスタンダードは大学院のスタンダードより遅れて作成され、大学院のスタンダードを一部変更して作られたものであることと、学部のスタンダードは学問分野を示す内容と教育理念を示す内容とが混在していることなどの理由により、大学院のスタンダードの方がアーツ・マネジメント教育の基本的な科目をより理解しやすいと思われる。なお、括弧内には、対応あるいは関連すると思われる分野等を筆者が付記し、順番も整理している。

Production and Distribution of Art（生産管理、制作）
Institutional Leadership and Management（組織行動論、組織理論）
Strategic Planning（経営戦略論）
Marketing and Audience Development（マーケティング、消費者行動論、オーディエンス・ディベロップメント）
Fundraising（ファンドレイジング）
Financial Management（財務・会計）

Policy for the Arts（文化政策）
Legal and Ethical Environment for the Arts（関連する法律と倫理）
Community Engagement（コミュニティ・エンゲージメント、教育普及）
Technology Management and Training
International Environment for the Arts
Research Methodology（リサーチの方法）

出典：*Standards for Arts Administration Graduate Program Curricula: A Living Document Version: November 2014.*

もちろん教育機関により特徴や差異があるわけだが、世界の多くの大学で教えられる標準的なアーツ・マネジメントは、右記の科目の多くを含んでいる。前述の通り、文化政策はアーツ・マネジメントとは密接に関連はしつつも別分野といえるが、アーツ・マネージャーにとって文化政策の知識は不可欠であり、文化政策はこのスタンダードの中に含まれている。アーツ・マネジメントの教育的な側面からは、現アーツ・マネージャーあるいは未来のアーツ・マネージャーのために、これらの科目等が総合的・体系的に教授される。研究的な側面でみれば、このうち一部の分野を探究していき、場合によっては学際的なアプローチをとることもある。アーツ・マネジメントの研究は、芸術、芸術組織、あるいは文化産業の特性を解明するのに加え、経営科学全体へのフィードバックができればより貢献度が高いものとなるだろう。

では、これまで説明してきたことを踏まえ、次章以降は各分野の学習内容に入る。

第二章　非営利組織論の基礎

二・一　営利組織の法人格

アーツ・マネジメントは、非営利を中心とした芸術組織の経営であるという説明を第一章でしてきた。そうであるならば、非営利組織についてまず理解しなければならない。非営利組織の非営利という部分は、営利という形態素に非という否定の接頭語がついている。要するに、営利という意味がまずあり、それではないといっているわけである。非営利組織の意味を、営利を目的としない組織というのでは、余事象のことをいっているだけで、説明としてはわかりやすいとはいえない。対比のために、まずは営利組織について法人格名を挙げておく。

法人の種類は国によって異なるが、日本では二〇〇六年に施行された会社法によれば、代表的な存在である株式会社と、出資と経営が一体となる持分会社である合同会社（日本版ＬＬＣ）、合資会社、合名会社という会社形態がある。会社法施行前は有限会社法による有限会社があったが、有限会社法は廃止されて新設することはできなくなり、それまであった有限会社は特例有限会社として存続しているものもある。ほかに、法人格を有しない組合ではあるが、パススルー課税が認められている有限責任事業組合（ＬＬＰ）（根拠法：有限責任事業組合契約に関する法律）もある。また、監査法人、税理士法人、弁護士法人、投資法人といった法人種別などもしばしば耳にするだろう。

二・二　非営利組織の法人格

非営利組織については、日本では制度が複雑であり、歴史的経緯も含めてアウトラインを説明していきたいが、詳しいことは法人種別ごとの専門書、解説書等をご参照いただきたい。

二・二・一　特定非営利活動法人（ＮＰＯ法人）

一八九六年（明治二九年）に定められた民法三十四条の規定により設立された非営利組織の旧公益法人（社団法人、財団法人）がかつては存在していた。一九九五年に阪神・淡路大震災が起こり、活発な非営利活動が行われたが、非営利活動を行うにあたり当時の法制度では限界があったため、震災を契機として特定非営利活動促進法、いわゆるＮＰＯ法が一九九八年に施行され、**特定非営利活動法人**、いわゆる**ＮＰＯ法人**の制度ができた。旧公益法人を設立する際は主務官庁による許可主義をとっていたのに対し、NPO法人は設立がより容易な認証主義（法律上の要件を満たして書類の不備等もなければ所轄庁は認めなければならないとする主義）が採用された。NPO法人は「不特定かつ多数のものの利益の増進に寄与することを目的とする」「特定非営利活動」が主たる活動でなければならず、特定非営利活動として別表を掲げて現在は二十の領域に限定している。別表には、二．社会教育の推進を図る活動、三．まちづくりの推進を図る活動、六．学術、文化、芸術又はスポーツの振興を図る活動、十三．子どもの健全育成を図る活動、などが含まれている。

二〇一二年にNPO法の大きな改正があり、**認定特定非営利活動法人（認定NPO法人）**の制度が作られた。「特定非営利活動法人のうち、その運営組織及び事業活動が適正であって公益の増進に資するもの」（第四十四条）ということが一定の基準により確認されれば、認定特定非営利活動法人（認定NPO法人）となることができ、認定NPO法人はより大きい税制上の優遇措置を受けることができるという制度である。認定NPO法人となるための一定の基準には、パブリック・サポート・テスト（PST）が含まれる。パブリック・サポート・テストには、相対値基準と絶対値基準と条例個別指定とがあり、選択することができる。相対値基準は実績判定期間内の各年度中に寄付金等収入の金額が経常収入の五分の一以上あることという基準であり、絶対値基準は実績判定期間内の各年度中に年三千円以上の寄付者の数が年平均百人以上いることという基準である。条例個別指定は各自治体の条例により個別指定を受けていることである。設立後五年以内のＮＰＯ法人には、基準を緩和した特例認定ＮＰＯ法人（旧、仮認定ＮＰＯ法人）制度もある。日本のＮＰＯの世界では、認定、認証、認可、許可という語はそれぞれ違う意味を持つので注意したい。

二・二・二　公益法人

次に公益法人であるが、二〇〇〇年から二〇〇八年に公益法人制度改革が実施された。民法三十四条による旧公益法人は、法の制定から百年もそのまま残り、制度が時代に合わなくなってきたことから、公益法人制度改革関連三法（一般社団法人及び一般財団法人に関する法律、公益社団法人及び公益財団法人の認定等に関する法律、前二法律の施行に伴う関係法律の整備等に関する法律）が二〇〇八年一二月から施行され、二〇一三年までの五年間は移行期間とされた。この一連の改革により、法人の設立と公益性の認定が分離されることになり、主務官庁による許可主義を廃して準則主義（法律上の要件を満たせば行政庁の許可がなくても法人が設立できる主義）が採用され、旧制度とは比較にならない容易さで**一般社団法人**、**一般財団法人**が設立できるようになった。

さらに、一般社団法人あるいは一般財団法人が申請をし、内閣府の公益認定等委員会あるいは各都道府県の公益認定等審議会といった民間の有識者からなる合議制の機関により認定されれば、

公益社団法人、**公益財団法人**となることができる。公益社団法人及び公益財団法人の認定等に関する法律では、「不特定かつ多数の者の利益の増進に寄与するもの」として別表二十三事業を掲げて事業ドメインを限定しているが、その中には、二．文化及び芸術の振興を目的とする事業、七．児童又は青少年の健全な育成を目的とする事業、などが含まれている。

新制度における公益法人として満たしていなければならない要件としては、公益目的事業を行うことを主たる目的とするものであった上で、①「その公益目的事業を行うに当たり、当該公益目的事業の実施に要する適正な費用を償う額を超える収入を得てはならない」（認定法第十四条）（収支相償）、②毎事業年度における公益目的事業比率が五〇％以上となること（第十五条）（公益目的事業比率）、③「毎事業年度の末日における遊休財産額は（中略）当該事業年度における公益目的事業の実施に要した費用の額（中略）を基礎として内閣府令で定めるところにより算定した額を超えてはならない」（第十六条）（遊休財産額の保有制限）などである。これらの①〜③の要件はしばしば財務三基準と呼ばれる。

公益社団法人と公益財団法人は公益のための組織でなければならないが、一般社団法人と一般財団法人は、公益のための組織であっても、共益のための組織であっても設立することができる。公益とは、様々な考え方があるが、通説と法律の条文では、不特定かつ多数の利益のことであり、対して私益とは、特定の個人や団体の利益のことである。共益とは、私益ではないが、一定の範囲のグループ構成員の相互の利益のことである。ただ、その境界を明確に引くことには困難を伴う。公益法人となると、税制上の優遇措置が受けられる。また、一般社団法人・一般財団法人であっても　法人税法の非営利型法人の要件を満たすものに関しては、税制上の優遇措置がある。よって、一般社団法人と一般財団法人は、非営利性が徹底された非営利型法人とそれ以外の法人に分かれる。

二・二・三　公益法人とNPO法人の関係

現行の法制度では、NPO法人の制度と、一般社団法人・一般財団法人、公益社団法人・公益財団法人の制度とは類似点があり、二制度が併立した状態になっている。非営利芸術組織を設立しようとするものは、どちらの法人格で設立するか選択することができる。認定NPO法人と新制度の公益法人とでは、基本的な考え方と評価のされ方が異なっている。認定NPO法人ではパブリック・サポート・テストが採用され、公益法人における公益認定には公益目的事業比率の規定がある。いわば収入の評価と支出の評価であり、違った側面からの認定となる。

二・二・四　他の非営利の法人格

そのほかに、事業の種類に応じて、一般法に優先する特別法で法人格を規定しているものもある。それらを列示列挙し、括弧内に根拠法を示すと、学校法人（私立学校法）、社会福祉法人（社会福祉法）、更生保護法人（更生保護事業法）、宗教法人（宗教法人法）、農業協同組合（農業協同組合法）、漁業協同組合（水産業協同組合法）、森林組合（森林組合法）、中小企業等協同組合（中小企業等協同組合法）、消費生活協同組合（消費生活協同組合法）、医療法人（医療法）などを挙げることができる。

これらのほとんどは認可制であるが、宗教法人は認証制となる。ちなみに、二〇〇二年に施行され二〇〇八年に廃止された中間法人法による中間法人という法人格もあった（施行されるときにはすでに廃止が決まっていた）。旧公益法人制度においては、公益の考え方が明確ではなく、公益目的の組織も、共益目的の組織も、私益のためと思わざるを得ないような組織さえも混在していた現実があり、中間法人は共益のための組織として一旦置かれたが、公益法人制度改革関連三法の施行に伴い廃止された（中間法人の多くは一般社団法人に移行）。

「ＮＰＯ」という場合と「ＮＰＯ法人」という場合とでは、違う内容を意味していることがある。ＮＰＯというときには特定非営利活動法人（ＮＰＯ法人）のことを指している場合と、これまで説明してきた非営利組織全体を指している場合がある。ＮＰＯとだけいっているときは、どちらを意味しているのか注意する必要がある。

二・二・五　芸術組織と非営利組織

日本で非営利芸術組織が得ている法人格で多いものは、公益社団法人、公益財団法人、一般社団法人、一般財団法人、ＮＰＯ法人等である。しかしそれ以外にも、学校法人で芸術活動を行っているところもあるし、営利組織として株式会社もある。宗教法人や社会福祉法人で芸術活動を行っているところもある。

旧制度の公益法人の時代には、非営利である公益法人の法人格を取ることが困難だったため、非営利性のある活動をしていても、法人格取得が容易な有限会社等の法人格で活動を行っていた芸術組織の例もあった。また、権利能力なき社団（人格なき社団）、任意団体として活動をしている芸術組織もあるので、アーツ・マネジメントが非営利を中心としたマネジメントであるとしても、非営利組織だけに絞って考えてしまうと、日本の芸術組織の全貌はとらえ難くなる。繰り返しになるが、営利と非営利の境界ははっきりと引けるものではなく、その事例は後で説明する。

日本において、非営利組織にどういう種類のものがあるかを紹介する際に、これまでたびたび「非営利」という言葉を使用してきた。英語では non-profit あるいは not-for-profit という。非営利というのが、営利を目的としないという説明は、間違いではないにせよ、わかりやすいとはいえない。

二・三 「非営利」とはどういう意味なのか?

次に非営利組織の「非営利」とはどのような意味なのかを考えていきたいのだが、ここでは「非営利」の説明として、二つの視点を提示したい。一つ目は利益非分配制約であり、二つ目はミッションである。

第一に、通説または現行の日本の法人体系によるものであるが、営利と非営利の区別のためになされる説明として、活動の結果として得ることができた利益の分配の有無がある。つまり、活動をして利益が得られた場合に、その利益を分配するかしないかという違いで営利と非営利を区別する考え方である。営利組織の場合、活動をして利益が得られたとき、その利益を構成員(株式会社における株主等)に分配する。株式会社における株主への利益の分配のことは、配当や分配金といわれる。利益を分配するとなると、利益最大化の動機が働くことになる。それに対し、非営利組織では、活動をして利益が得られた場合に、その利益を構成員(法律用語としての社員等)に分配することは禁じられている。このことを、**利益非分配制約** Non-Distribution Constraint, NDC と呼ぶ。

例えば、営利組織の代表的な存在である株式会社においては、株主は出資者であり会社の所有者となる。一方、非営利組織の場合は(一部の例外を除き)所有者に相当する人は存在しない。[1]

よって、所有者に配当を分配することはできない。先に述べた一般社団法人と一般財団法人には、公益目的以外の組織も存在しているわけだが、利益分配の有無により非営利型とそうでない型に分けられている。

つまり、「非営利」という意味は、利益を分配しないことであり、利益を出さないことではない。利益を目指さないとすると、非効率な経営に陥ることになり、それはすなわち組織の持続的で健全な経営を阻害することにつながる。長期的に赤字が続いて累積債務が大きくなれば、事業継続が不可能となり倒産や解散となる可能性も出てくる。ただし、公益法人に関しては、先に述べた収支相償の規定により過度な利益の増加は制限されている。収支相償の考え方は、もし利益を十分に出すことができるのであれば、それを将来より質の高い財やサービスが提供できるように使用するか、あるいは利用者の負担する料金を下げるべきという発想に基づくものである。

しかしながら、このように営利と非営利を二分法で考えると、どちらとはいえない中間的な存在も日本の非営利法人制度には見られる。法人格の種別で考えると、例えば、先に挙げた生協(消費生活協同組合)は、組合員への剰余金割り戻しがあるので、利益非分配制約を徹底しているとはいえず、かといって生協が営利目的ともいえない。組合員の数を制限することもできず、組合員の加入に際し正当な理由がないのに加入を拒むことはできないので(消費生活協同組合法第十五条)、開かれた存在になっていて、中間的な存在といえるだろう。また、医療法人(医療法の

第三十九条により社団と財団とがある）の一部には持分の定めのある法人が存在する。これは、所有権がないはずの他の多くの非営利組織とは異なっている。

また、芸術組織の原初的な形態として、芸術家たちが集まってグループを形成し、芸術活動を行うことがある。この場合は、芸術家自らが意思決定を行い、自分たちに利益を分配することも目的のひとつとすることがある。[2] そして、それまでの意思決定の仕組みや組織文化を残したまま任意団体から非営利法人に移行することがあり、その場合は、フォーマルな理事会などのほかに、ほぼ閉じられた構成員によるインフォーマルな総会が開催されたり、多重あるいは共益的な性格を持ったりすることがある。

第二に、非営利組織は**ミッション主導型** Mission-Driven の組織であるといわれる。ミッションとは社会的な使命のことである。ミッション（使命）を掲げ、それを達成して社会問題を解決するために、存在している組織ということになる。ミッションを中心に据える経営のことを、ミッション・ベースト・マネジメント Mission-Based Management と呼ぶことがある。

組織全体のミッションのほか、より下位の区分で領域を特定した、例えば、教育普及活動のミッション Educational Mission といったものを設定する芸術組織もある。ミッションは、社会状況や環境の変化に伴い、見直すべきということも国際的にはいわれている。逆に、ミッションが達成された折には、非営利組織としての存在理由がなくなり、組織を解散するという考え方もありえないことはないが、実際には設定したミッションは容易には達成されない場合が多く、ゴーイング・コンサーン（継続事業体）として事業を行うことになる。（公益法人など法人の種類によっては、継続事業の前提に関する事項が法令等により定められている。）日本の非営利組織の場合は、ミッションは定款の中の目的や事業のところに書かれていることが多い。日本の非営利芸術組織の定款におけるミッションを見ると、定型に沿ったものであり、形式的、網羅的といった特徴が見られる。

一方、営利組織にもミッションやそれに類するものはある。経営理念、企業理念、社是、社訓などと呼ばれるものである。有名な経営理念の例としては、ジョンソン・エンド・ジョンソンの「我が信条（Our Credo）」、松下電器（現パナソニック株式会社）の「綱領」・「信条」・「私たちの遵法すべき精神」、「豊田綱領」、「花王ウェイ」などがある。これらは定款に必ずしも盛り込まれているとは限らず、諸々の理由や議論のため別になっていることが多い。何が営利企業の原動力なのかということには議論があるが、原動力のひとつとして利益が考えられる。しかし、営利組織が利益を追求するあまり社会や環境等のことを軽んじるならば、深刻なブランド棄損につながる可能性がある不祥事を引き起こすかもしれない。営利企業におけるミッションは社会において正しい方向に導く機能があり、社会悪や不祥事を回避するための役割もあるといってよいであろう。それに対し、非営利組織におけるミッションは、組織の中心となる原動力である。芸術組織におけるミッションは、芸術的なミッション、社会への貢献、組織の健全性・持続性等のバランスがとれていることが肝要である。最近は、ミッションを広げる、傾向を変える、割合を変更する試みが見られる。社会包摂、多様性や公平性の尊重等を組織のミッションに含めるのがその例であろう。

国際的な議論としては、非営利組織の定義は以下の五つに集約されることが多い。(3)

・公式に組織化されている組織であること *Organized*, i.e., institutionalized to some extent
・民間であり、非政府であること *Private*, institutionally separate from government
（これは政府から独立しており、中央政府や地方政府の一部ではなく、コントロールもされておらず、外郭団体や行政周辺法人ではないという意味であるが、日本の非営利芸術組織では政府のコントロールを受けている団体が存在する。）
・自己統治されていること *self-governing*
・利益を分配していないこと *Non-profit-distributing*
・自発的な要素があること *Voluntary*

二・四　非営利組織に関する経済学的研究より（非営利組織の存在意義ほか）

経済活動を行う基本単位である経済主体は、通常は企業、家計、政府の三つとする分類が採用されており、ここには非営利組織は含まれていない。非営利組織は、もうひとつ付け加えて考えなければならない経済主体ということになる。また、しばしば第一〜第三セクターという言い方もされる。

第一セクター First Sector……行政部門（政府）
第二セクター Second Sector……民間営利部門（企業）
第三セクター Third Sector……民間非営利部門

日本では、地方自治体と民間企業が共同で出資・経営する企業（鉄道会社が多い）のことを第三セクターということがある。しかし、この言い方は日本特有のものであり、他の国では通じない。国際的には Third Sector とは、民間非営利部門のことである。

二・四・一　政府の失敗理論、公共財理論（B. Weisbrod）

日本は市場経済を基礎とする資本主義の国である。しかし、市場メカニズムは完璧なものではなく、「市場の失敗」が起こることがある。[4] 市場の失敗が起こった場合に、是正をするのは次に政府が考えられる。しかし、市場の失敗の是正を意図して政府が実施する公共政策も、成果を出せない場合がある。このことを「政府の失敗」と呼んでいる。現代社会では多様な価値観やライフスタイルに基づく需要があるが、民主主義国家では政府は選挙を意識せざるを得ず、その政策は多くの割合を占める平均的な需要を持つ有権者（中位投票者という）に向けたものになりがちである。多様な価値観やライフスタイルがある中で、少数者の需要は満たされず、非営利組織は政府によっても供給されない需要を満たして補完する役割がある、つまり非営利組織は政府の部分的な代替となっているというのが Weisbrod らの議論である。[5]

二・四・二　契約の失敗理論、信頼理論（H. Hansmann）

提供する財やサービスによっては、供給者と消費者の間に情報の非対称性（情報に格差があること）の程度が大きいものがあり、その場合は対等な契約を結ぶことができない。営利組織は、先ほど述べたように、非分配制約がなく、利益を最大化する動機のために低い質や量の財やサービスを提供することがある。このことを非営利組織論では、「契約の失敗」と呼んでいる。それに対し、非営利組織には非分配制約があるため、欺こうとする誘引もない。よって、消費者は非営利組織の方をより信頼するという論理である。[6]

二・四・三　相互依存理論（L. Salamon）

政府と非営利組織の関係は、対立的な代替関係というよりも、協調的かつ補完的な関係と考えるのがこの理論である。政府は非営利組織に財政的支援などをし、そのことによって非営利組織の活動を活性化して、供給が不足している財やサービスを代わりに提供させる。逆に、非営利組織側は政府から財政的支援を受けることによって、経営的な安定を獲得して存立するとともに、「第三者による政府 Third-Party Government」[7]として財やサービスを提供する。よって相互に依存的な関係であるとするものである。

二・四・四　ボランタリーの失敗（L. Salamon）

さらに、Salamon は非営利組織（ここでいう voluntary とは nonprofit の意）も、その特性のために失敗しうることを指摘し、その原因を四つ挙げている。

一．資源が不十分であること insufficiency
二．特定のグループの需要に焦点をあてがちなこと particularism

三．（支援者の支持する）特定の財やサービスを提供すること paternalism

四．専門知識に欠けること amateurism

そして、政府は非営利組織にない強みを持っており、非営利組織の失敗を政府が補完していると指摘する。これがそれまでの理論との相違点である[8]。

これまで述べた Weisbrod の政府の失敗、Hansmann の契約の失敗、Salamon のボランタリーの失敗は、非営利に関する「三つの失敗の理論」と呼ばれることがある[9]。

非営利組織の研究を垣間見ることにより、非営利組織の存在理由等が明らかになってきた。芸術組織の一定割合は非営利組織であり、非営利組織の一角を文化や芸術分野の組織が占めている。非営利の理論が一般的で普遍的なものであるならば、非営利の芸術組織にもあてはまるはずである。福祉、医療、教育といった他の分野と、文化や芸術の分野では、財やサービスの性質を同様と考えてよいのかそれとも相違があるのか、そして、これらの理論が芸術組織にもあてはまるかどうかは、さらなる検討の余地がある。また、アメリカを中心に進んでいるこれらの研究が、他の国でもあてはまるのかも、検討の余地があるように思われる。

二・五　W. J. Baumol and W. G. Bowen『舞台芸術―芸術と経済のジレンマ』

幅広い非営利の世界全体から離れ、舞台芸術分野に限ったことであるが、多方面に影響を与えた文化経済学の記念碑的な研究である『Performing Arts: The Economic Dilemma』（邦題『舞台芸術―芸術と経済のジレンマ』）にも触れておく必要がある。

Baumolらの言及は多方面に及ぶが、その主な論点は実演芸術の生産性に関することである。社会全体の生産性は平均的には時とともに向上するが、自動車産業のような生産性を向上させやすい産業と、サービス産業等の向上させにくい産業（stagnant serviceと呼ばれる）とがある。舞台芸術は労働集約的であり、およそ二世紀前の作曲家が創作をした当時と今とを比べても、必要とされる演奏人数と演奏時間は変わっておらず、相対的には実演芸術の生産性は下がっていることになる。「事業収入」（自力で稼げる収入）の総支出に対する不足額を意味する「インカム・ギャップ」は年々拡大していくことになり、このような現象はボーモルのコスト病Baumol's Cost Disease、ボーモルの呪いBaumol's Curse、ボーモル効果Baumol Effectなどと呼ばれている。

生産性を向上させることができる産業においては、単位当たりのコストを削減することができ、削減されるコスト分によって製品の売価を下げることや賃金を上昇させることが可能になる。しかし、生産性を上げられない産業ではそれらは不可能であり、賃金の上昇も困難である。賃金上昇が可能である産業に比べて、相対的に実演芸術組織の被雇用者は賃金が下がっているように感じる。実演芸術組織の賃金を社会平均に合わせて上昇させるためには、チケット価格を値上げして事業収入を上昇させるか、あるいは、助成収入等の他からの収入を獲得しなければならない[10]。

非営利芸術組織の多くが、このインカム・ギャップがある状態で事業を行っている。インカム・ギャップがあるということは、もともと利益を出すことが難しい領域と言い換えられる。利益が出るような事業ドメインであれば、当然営利企業が参入してくるであろう。営利企業にとっては、社会に需要がある財やサービスを、収益が費用を上回るようなやり方で提供し、消費者に受け入れられることが、組織の存続の条件となる。それができなければ倒産してしまう。それに対して、非営利芸術組織は、営利企業が参入してこないような領域であるが、社会からのニーズがある財やサービスを提供する。しかし、インカム・ギャップが不可避な領域では、「事業収入 Earned Income」を最適化（最大化とは異なる）する努力をした上で、市民からの寄付が十分集まるほど社会からの支持と信用が得られるか、もしくはインカム・ギャップの分を税金からくる政府の補助金などによって充当できるか、またはその両方を十分に獲得することが、非営利組織にとっての存続の条件となる。寄付金や補助金など他からのサポートにより得られる収入のことを「助成収入 Support Income, Contributed Income」という。非営利組織の存続には、「事業収入」と「助成収入」の合計が総支出を上回る必要があり、そのためには、その組織のミッションが理解されて共感され、市民からの支持を得られなければならない。（市民の直接的な支援のほかに、芸術や文化を振興・保護する政策を実施する政治家を有権者が選ぶか否かということも重要な要素である。）

非営利芸術組織は、他のセクターが供給しないけれども社会にニーズがある財やサービスを供給する役割を果たす。しかしいうまでもなく、文化や芸術分野は非営利組織が独占的に担うわけではない。例えば、ポピュラー音楽のような、主に営利企業が担う分野もある。市場メカニズムがうまく働く分野は、市場原理により社会のニーズを満たすことができる。加えて、例えば日本における博物館や歌舞伎やオペラのように、複数のセクターが供給や関与をする分野もある。文化以外の分野を見ても、福祉分野では第一、第二、第三セクターが関与している。教育分野でも、第一セクターである国公立の教育機関もあれば、第三セクターである私立学校（学校法人等）もあり、また第二セクターが中心となる塾や予備校等もあり、複雑な様相を見せている。もちろん、各業界の構造は国によって相違がある。

では、次の章以降で、一七～一九ページで説明をしたカリキュラム・スタンダードの中から、組織論、マーケティング、ファンドレイジングをピックアップして概説していくことにする。

第三章　芸術組織と組織論

「経営学」は、通常は「組織論」と比較的新しい「経営戦略論」を含むとされる。(狭義には、経営学にはマーケティングや会計学などは含まれない。) そして組織論は、「組織理論 Organizational Theory, OT」と「組織行動論 Organizational Behavior, OB」に大別することがある。組織理論はマクロ組織論ともいわれる巨視的なものであり、組織の構造、体系、デザイン等に焦点をあてる。他方、組織行動論は、ミクロ組織論ともいわれる微視的なものであり、組織に属するメンバーの行動および小集団の固有の現象に焦点をあてる。

この章では、数多ある議論の中でも、紙面の都合により組織構造の基本事項を概説し、芸術組織の事例を提示する。組織について考察していくには、まずは組織というものを定義し、考察の対象の範囲を定める必要がある。

組織であるための条件は、おおむね次の四つの点に集約されるだろう。第一に、組織は二人以上の人によって構成されるということ。一人の場合は組織とはいえない。第二に、「意識的に調整された人間の活動や諸力の体系[1]」であること。第三に、構成員(メンバー)により構成されており、構成員とそれ以外との境界が存在すること。第四に、共通の目標や目的が存在すること。これらの特徴により区別され、一人では達成しえないことをするために、組織を形成するのである。美術館・博物館も他の実演団体も、これらの要件を備えているので、組織であり、しかもその多くは、非営利あるいは公共の組織となっている。

三・一　管理の一般原則

この節ではまず管理の一般原則と呼ばれる五つの広く知られた原則を提示する。これは、古典的組織論、伝統的組織論といわれるものであり、経験的に見出されたものであるが、現在でもあてはまることが多く、有用と思われる。その後、それらの原則を念頭に置いた上で、いくつかの代表的な組織構造について解説をする。これらはアーツ・マネージャーにとって不可欠な初歩の知識のひとつである。最後に芸術組織の事例を挙げて若干の考察を加える。

管理の一般原則は以下の通りである。

命令一元化の原則：一系統の上位者からのみ下位の者は命令を受ける必要があり、二系統以上から指示を受けるのでは混乱が生じる可能性がある。

責任・権限の原則：責任と権限の一致の原則ともいう。組織の各階層は、階層に応じた権限と責任が伴うというものである。上の階層で大きい権限を持つ者は大きい責任を持ち、下の階層で小さい権限を持つ者は責任も小さくなる。権限が責任より大きいと職権の濫用が生じる可能性があり、逆に責任が権限より大きいとモチベーション（やる気、意欲）の低下を生む可能性がある。

専門化の原則：業務を同種のものに分割し、より単純で反復的な業務につかせることで習熟しやすくなり、作業の効率性を向上させることができるというものである。分業の原理のことである。

統制の幅の原則：上位者一人が監督・統制できる下位者の人数には、限界があるというものである。それを超えると統制がきかず非効率に陥る。

例外の原則（委任の原則）：平常業務については下位の者に権限委譲して任せ、経営トップは長期的な視点の意思決定や特別な意思決定に専念すべきとするものである。

三・二　組織構造

前節を念頭に置いた上で、次にいくつかの代表的な組織構造を見ていきたい。それぞれの組織構造によって利点と欠点とがある。また、現実の組織は様々なバリエーションがある。

図 3.1　ライン組織の例

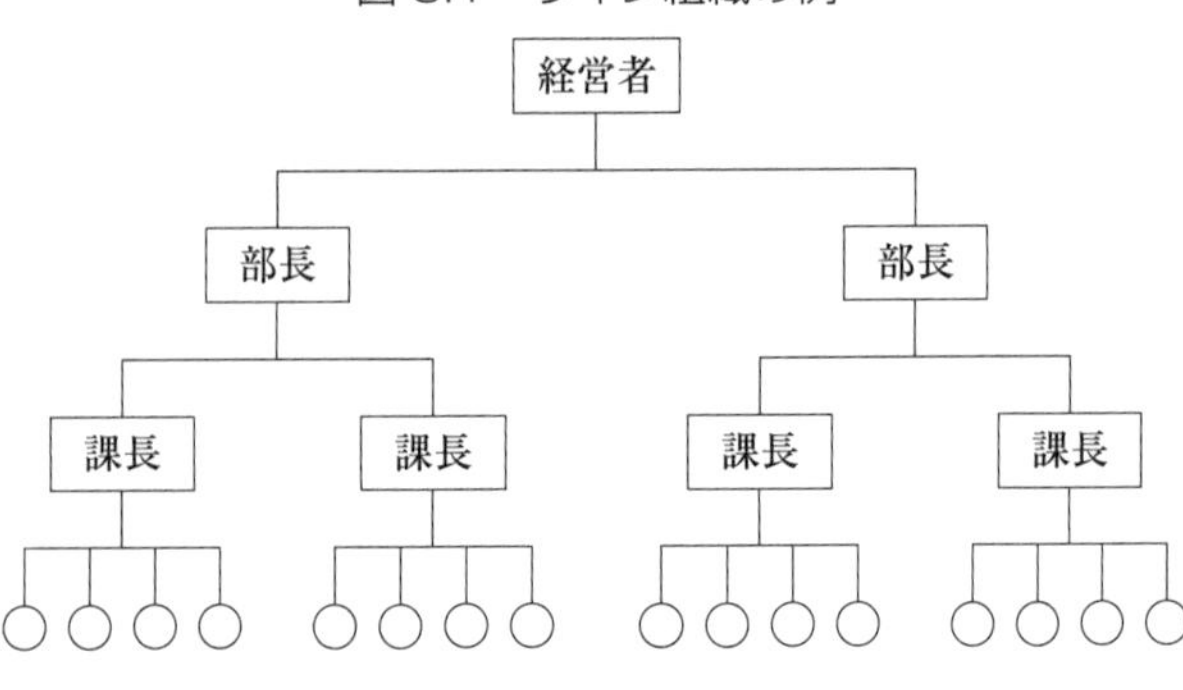

ライン組織

ライン組織（直系〔式〕組織）は、最もシンプルな組織形態といえる。この組織には、命令一元化の原則が徹底でき、権限や責任の所在が明確という利点があるが、組織が大きくなるほど上位者の責任が過重となりがちであり、作業能率も低下しやすいという欠点もある。小規模な組織に多く見られる組織構造であり、芸術組織は中小規模が多いので、この組織形態をとる芸術組織も少なくない。

ファンクショナル組織

職能を分け、管理者が各専門の職能を担当して、多くの下位者に業務命令を下す組織形態であり、ライン組織の欠点を解消しようとしたものである。管理者の専門的な能力を活かすことができ、上位者の負担を軽減して作業能率を改善できることが利点であるが、指揮命令系統が複雑であり命令一元化の原則に反していて、責任・権限の所在が不明瞭になりや

図 3.2　ファンクショナル組織の例

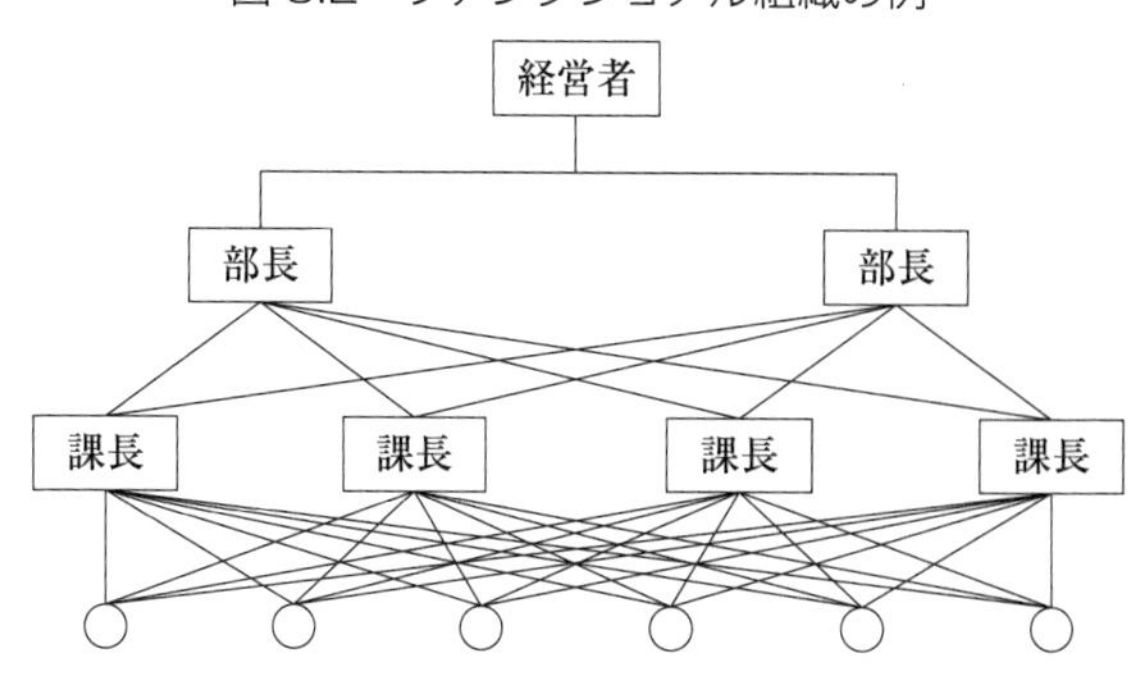

すいという欠点がある。現代の組織に採用されることはあまり多くない。

ライン・アンド・スタッフ組織

ライン・アンド・スタッフ組織は、ラインとスタッフという二種の職能で構成される組織である。ラインとは、例えば製造（生産）、販売といった部門のことであり、スタッフとは総務、経理、人事などのような部門（いわゆるバックオフィス）のことである。ライン部門は事業の遂行に直接かかわる部門であり、それに対し、スタッフ部門は管理機能やサービス職能を専門に担当する者によって構成され、ライン部門や組織内へのサービス・助言・勧告を行う。（指揮命令系統は上位者から出るので）命令一元化の原則を守りつつ、スタッフ部門の助言・勧告によって専門化の原則も活かすことが可能な組織形態となる。現代の大企業では、ライン・アンド・スタッフ組織を採用していることがしばしば見られる。

図 3.3　ライン・アンド・スタッフ組織の例

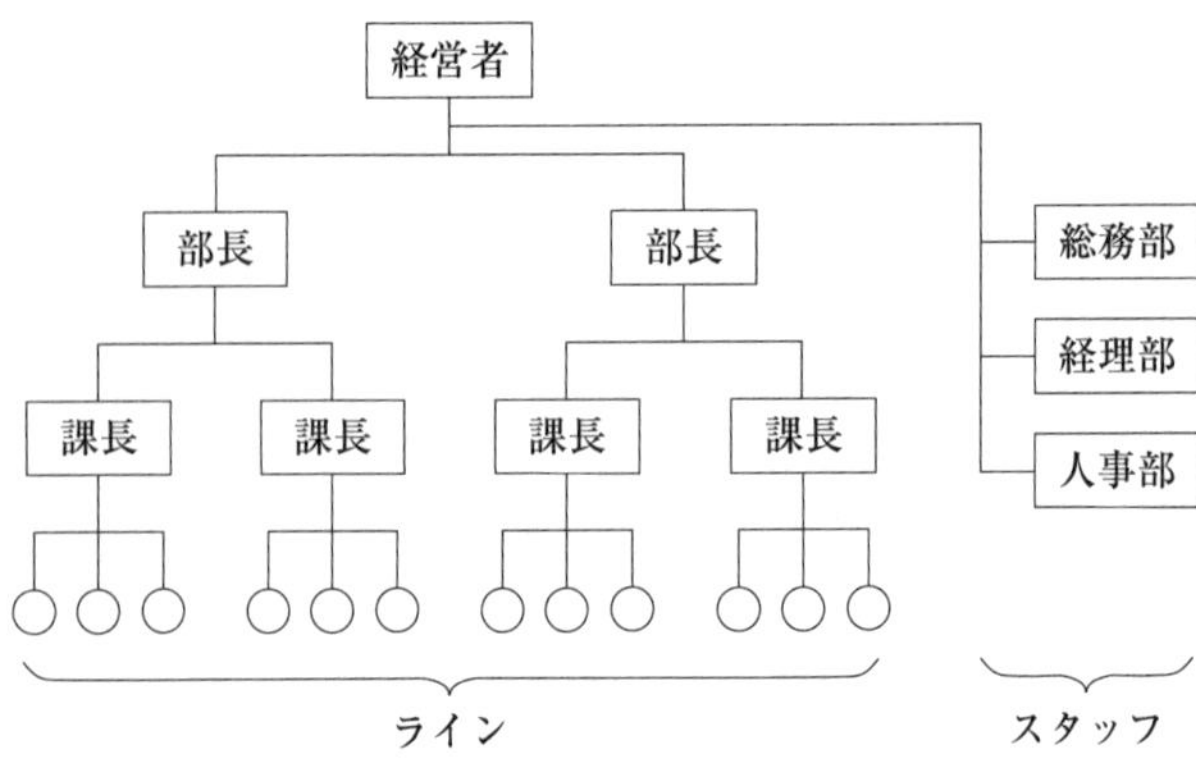

事業部制組織

事業部制組織は、製品・サービス別、地域別、顧客別などにより部門（事業部）を分け、各事業部を独立性の高い自己充足的な活動単位とした組織である。分権的な組織であり、各事業部長に対してかなりの権限委譲がなされる。

この組織形態の利点はいくつかあり、上位者から下位への命令伝達の段階が少なくなることにより迅速で柔軟な意思決定が可能になるということ、事業部間の業績評価が比較的容易であるということが挙げられる。また、人的資源の面で見ると、事業部がかなりの独立性を持つために裁量の範囲が広がり、事業部内のモラール（職場の士気）が高まる可能性があるということ、事業部長が大きな権限を与えられることで未来の経営トップとして養成されること、経営トップが全組織的な意思決定に専念できるということなどが指摘される。

図 3.4　事業部制組織の例

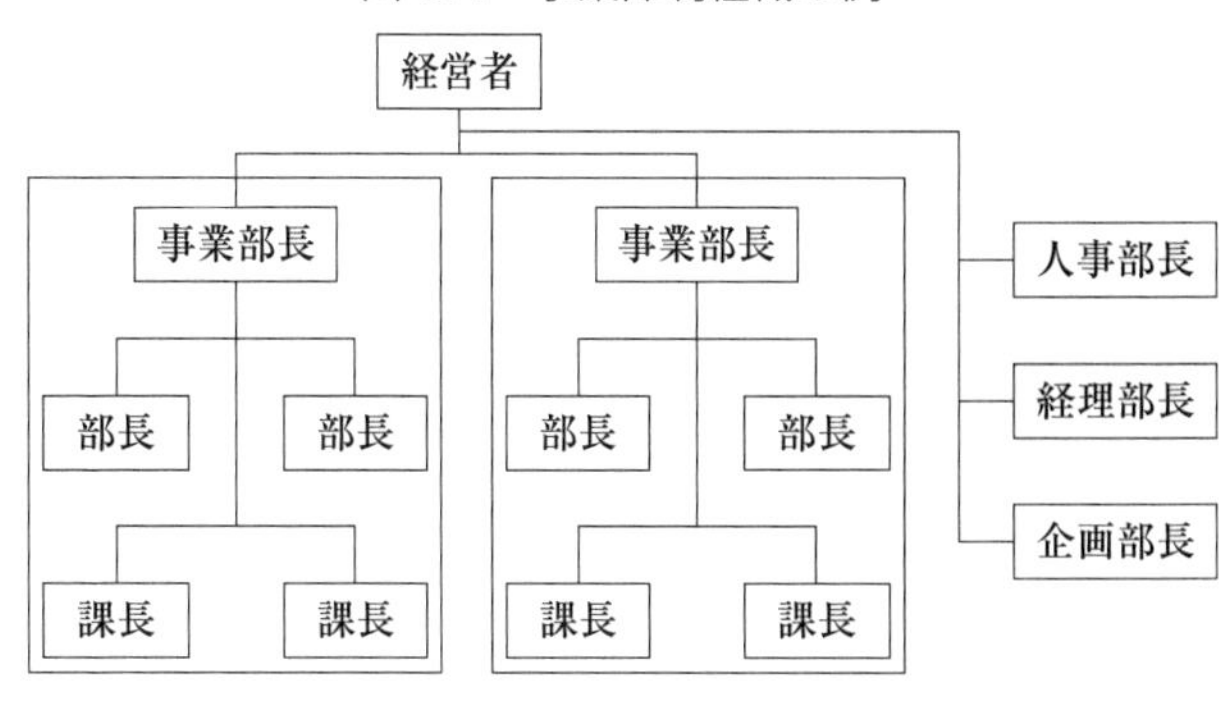

一方、欠点もあり、各事業部それぞれに同種の部署や職能が設けられて経営資源の重複が起こりやすいこと、各事業部が高い独立性を持つために、全組織的な統一性が希薄になる可能性があること、複数の事業部に関わるような発想の製品や技術が生まれにくいこと、セクショナリズム（部局割拠主義）が発生しやすいことなどが挙げられる。

この組織形態は、主に大企業で採用され、多角化して複数の事業を展開するような企業に適している。一九二〇年代にアメリカのデュポン社が初めて採用した。日本では一九三三年に松下電器産業が採用したのが初期の例である。(2)

さらに独立性を推し進め、各事業部を独立会社ととらえた擬似会社制ともいえるものがカンパニー制である。日本では一九九四年にソニーが採用した。(3)

マトリックス組織

マトリックス組織は、二つの命令系統を同時に採用した組

図 3.5　マトリックス組織の例

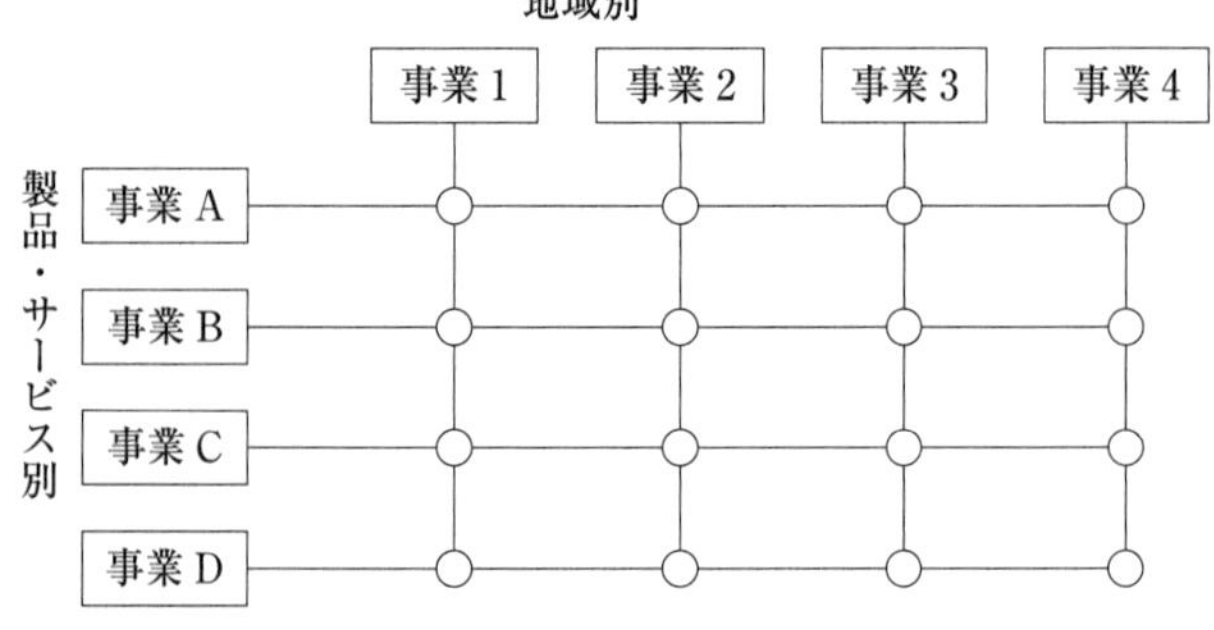

織で、製品・サービス別、職能別、地域別などから（組織図で表す場合には）縦と横の二つの命令系統を採用した組織形態である。その命令系統の形からツー・ボス・システムと呼ばれることもある。利点としては、経営資源の共有ができ、事業部制のような経営資源の重複を避けることができるが、欠点も少なくない。命令一元化の原則に反しているので、指揮命令系統が混乱しやすく、意思決定も遅延しやすく、権力闘争も起こりやすいとされる。

その他、名称だけ記すと、特別あるいは緊急な課題に対処する臨時的なプロジェクト・チーム、組織の中に設置される意見調整機関である委員会組織、ゆるやかにつながった非階層的な組織であるネットワーク組織などの組織形態がある。

三・三　芸術組織への応用

前節では、組織構造の基本的な形を概観してきた。中小企

図3.6　公立美術館の組織図の例

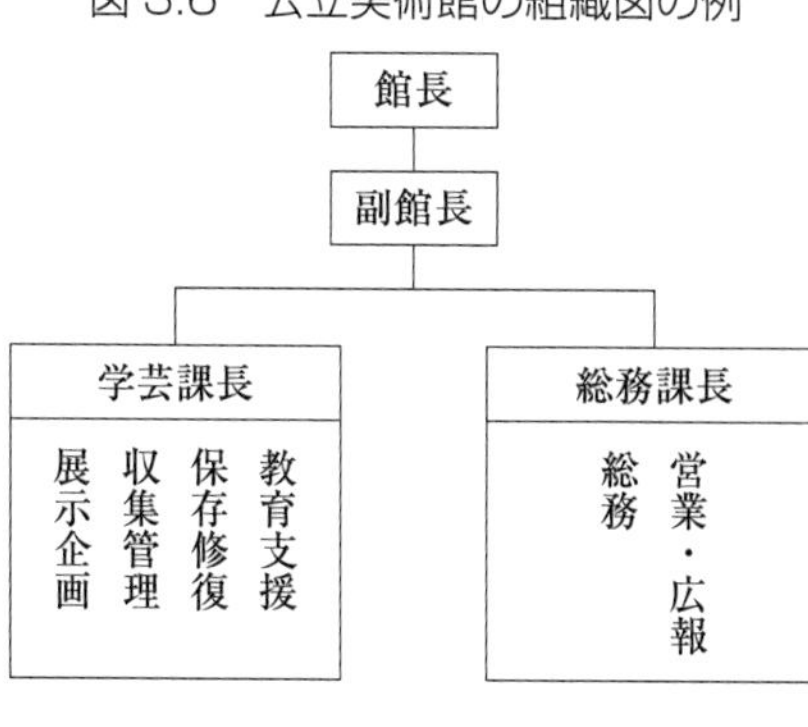

業基本法第二条には「資本金の額又は出資の総額が五千万円以下の会社並びに常時使用する従業員の数が百人以下の会社及び個人であって、サービス業に属する事業を主たる事業として営むもの」とある。営利の世界と比較をするとしたら、非営利芸術組織はこの程度の規模かあるいはそれ以下のものが多い。非営利の芸術組織は、平均的には規模が小さく、よって簡素なライン組織が多い。

また、組織の傾向の両極として、「機械的組織 mechanistic」と「有機的組織 organic」ということもいわれる。二分法ではなく、ある組織は無段階的な連続線上に位置すると考える必要があるし、一つの組織でも機械的な側面と有機的な側面とが共存している場合もある。「機械的組織」とは、厳密なルールが定められ、そのルールに従って動く組織であり、階層、地位、命令系統が明確に定められ、「集権的」にトップダウンの意思決定がされる場合が多い。安定的な環境の下では、機械的組織の方が有効であるとされる。それに対し、

「有機的組織」とは、ルールは緩やかであり、階層や命令系統も必ずしも明確ではなく、意思決定は「分権的」である。先が見えにくい不安定な環境下では有機的組織の方が有効とされる。

芸術の世界は自由であり、有機的組織が多いと考えるのは必ずしも正しくない。任意団体である小規模な劇団などは有機的組織の場合がある。しかし、国公立の美術館や、規模の大きいオーケストラやオペラ団体は極めて機械的な側面がある。オーケストラを例にとると、オーケストラの意思決定は、音楽上の意思決定と運営上の意思決定とがあり、それぞれ異なる方式で意思決定がされており、まずそれらは混同されるべきではない。運営上（経営上）の意思決定は法律に規定されている評議員会、理事会、総会といった機関によって行われている。一方、音楽上の意思決定（要するに、リハーサルやコンサート、加えてプログラミング）は、歴史的に蓄積されてきた万国共通の数多くのルールに則って、（多くは外部契約である）音楽監督とコンサートごとの指揮者、コンサート・マスター等により、機械的でトップダウンの意思決定のしくみが整っている。（ある国の指揮者が他国のオーケストラで即座にリハーサルとコンサートができるのは、そのためである。小規模な室内オーケストラでは、指揮者がいない団体も一部あるが、一定規模以上では指揮者なしの演奏は困難である。）マネジメント部門（事務局）では、機械的なことが必要とされる担当者と、有機的な対応が必要とされる担当者がいる。例えば、経理部門では機械的な仕事が必要と考えられるし、会場係等の顧客対応の担当者は柔軟で有機的な姿勢が求められる場面もある。

図 3.7　オーケストラの組織図（公益財団法人）の例

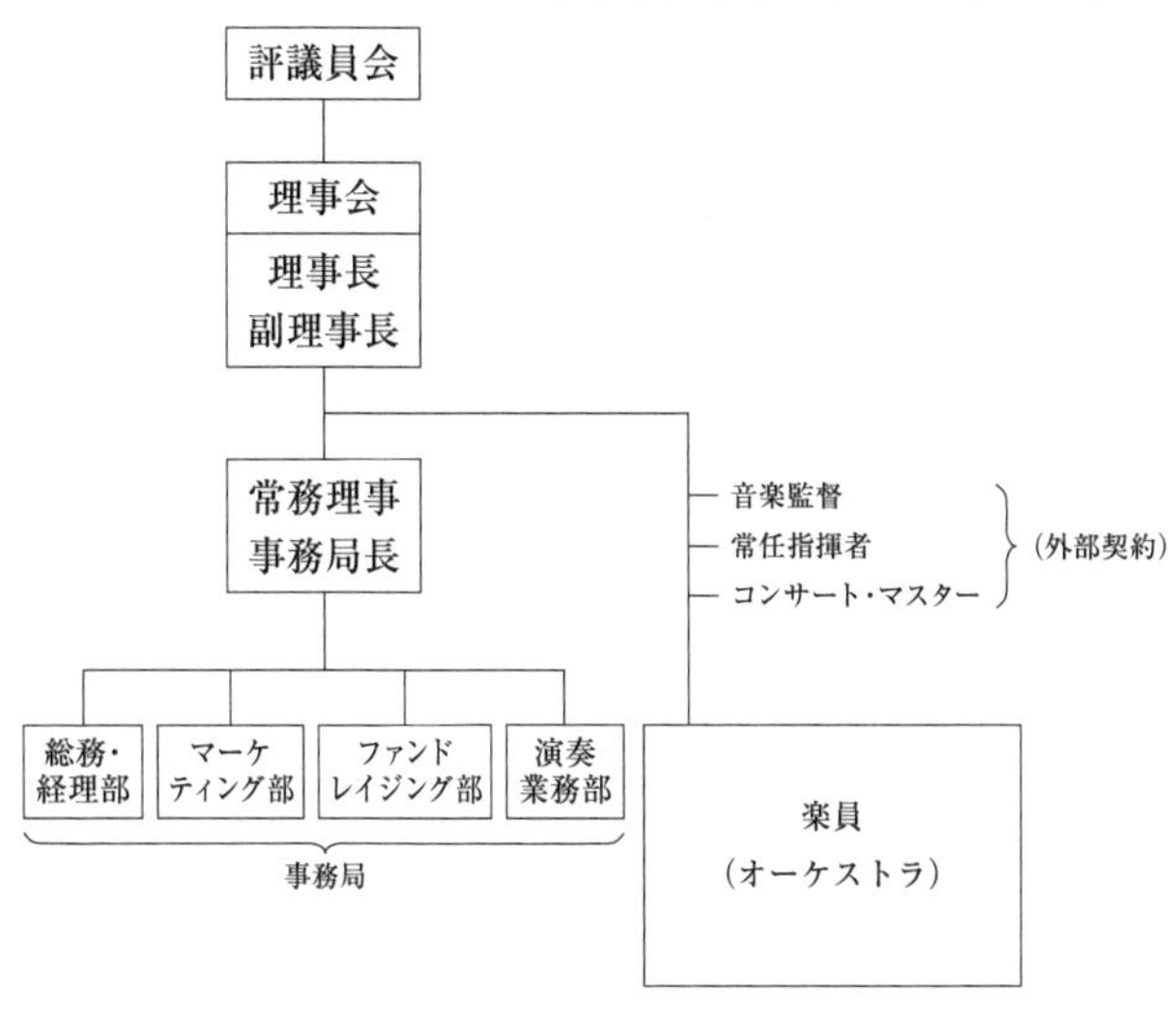

そして、ほとんどすべての組織は、前述した「公式 formal」な組織構造のほか、「非公式 informal」な組織構造の要素を持っている。円滑なマネジメントのためにはそれら両方に目を配る必要があるし、優れたアーツ・マネージャーはそのようにしている。公式のコミュニケーションや命令系統のほか、個人と個人のつながりの強さといった非公式のコミュニケーションのレベルもあり、「準公式 semi-formal」なしくみもある。先に挙げたオーケストラの例では、公式の理事会 board meeting などのほか、理事・事務局・楽員（演奏家）間の意見の調整と合意のための委員会（players' committee）が日本を含め、世界各国のオーケストラに存在している。（ロンドン交響楽団の場合のように、players' committee が組

織的に公式な位置づけの場合もある。）このような芸術家の運営参画は、芸術組織の一部においてはまず芸術家たちが集まり、労働者協同組合 workers' collective のような形で組織が始まったこととの関連が考えられる。

三・四　経営トップ

営利企業の取締役に誰がなるかは、経理畑、人事畑、営業畑、技術畑など様々なケースがあり、経営トップもまた同様であろう。非営利・公共領域に目を向けると、医療法人の場合は、理事長は原則として医師又は歯科医師がなるという法律の定めがある。[4] この規定は、一九八〇年の富士見産婦人科病院事件を契機に、第一次医療法改正によりできたものである。[5] しかしその後も、病院経営を医療畑の人が担うのか、経営畑の人が担うのかは、様々な議論がされている。

芸術組織に関しては、規模の大小、芸術のジャンルや組織の種類により事情は様々である。芸術畑の人がトップになり事務系の人がナンバー・ツーにくる場合もあるし、その逆もある。首長や公務員が充て職（あ）、派遣、出向でポジションに就く場合もある。また、（経営上・芸術上の問題が起きたために）経営畑の人がトップになる時期と芸術畑の人がトップとなる時期を交互に繰り返すような団体もある。どのような人が芸術組織のトップになるのがよいかは一概にはいえず、長年にわたる課題といえるだろう。

紙面の都合で組織理論の一部の限られた基本的内容しか紹介できなかったが、組織理論と組織行動論は歴史的に考えてもアーツ・マネジメント教育において必須の学習内容といえる。

第四章　アーツ・マーケティング

四・一　マーケティングの定義

マーケティングも、アーツ・マネジメント教育のスタンダードに含まれる学習内容のひとつである。芸術関係者の中には、マーケティングに対して両極端な姿勢が時折見られることがあるが、それは過信か拒否かである。一方の極は、マーケティングを採用しさえすれば経営は軌道に乗り芸術組織の経営の問題はなくなるというものであり、もう一方の極は、マーケティングは営利企業の金儲けのための道具であり、芸術分野にマーケティングを採り入れることは、芸術が商業主義に毒され芸術の自律性が失われるため、そぐわないというものである。現代までのマーケティングの発展の歴史や蓄積を踏まえると、どちらも極論であって的を射たものではない。マーケティングについては様々な説明や定義があるので、そのうちいくつかを見て考えていきたい。

marketという英単語の辞書的な意味は、名詞としては「市場（しじょう）」になるが、動詞としては、市場で取引する、売買するといった意味になる。ところが、売るという意味の英単語は、sellというもっと一般的な単語もある。では、selling（販売）とmarketingはどう違うのか。Druckerによる有名な言として、次のようなものがある。

実のところ、販売とマーケティングは逆である。同じ意味でないことはもちろん、補い合う部分さえない。

何らかの販売は必要である。しかし、マーケティングの理想は販売を不要にすることである。マーケティングが目指すものは、顧客を理解し、顧客に製品とサービスを合わせ、自ら売れるようにすることである。（傍線は筆者による）(1)

単に作られた製品を売る努力をすることはsellingである。それに対し、消費者のニーズをくんだ製品を作って供給すれば、自ずと売れるはずである。つまり、marketingを実施したらselling（要するに売り込み）をしなくてもよくなる（superfluous）ということである。

マーケティングは通俗的に「売れるしくみ作り」といわれることもある。マーケティングは、単に販売部門だけが努力をすればいいということではなく、ましてや宣伝や広告、プロモーション等を工夫するということだけでもない。顧客のニーズを調査して理解し（加えて顧客価値を創造し）、製品開発、製造の段階から小売りまで一貫した目的とプロセスにより、総合的・全組織的に浸透させ実施するしくみ作りということである。これはマーケティングに関してしばしばいわれることであるが、供給側の視点であり、売れるかどうかということを問題としている。ところが、すでに学んだように、非営利組織においてはミッションの達成が目的であるし、非営利芸術組織の存在意義のひとつに芸術の創造ということもあり、利益や売上は組織の存続のための手段であって究極の目的ではない。アートや非営利へのマーケティングの応用を考えるために、さらにマーケティングの説明や定義を見て、理解を深めていきたい。

マーケティングの大家であるPhilip Kotlerは、マーケティングを社会的な定義と経営的な定義とに分け、経営的な定義として前述のDruckerの、マーケティングはセリングを不要にするものという言を引用している。他方、社会的な定義としては、「マーケティングとは個人や集団が製品およびサービスを創造し、提供し、他者と自由に交換することによって、自分が必要とし求めているものを手に入れる社会的プロセスである(2)」としている。

これはより広いとらえ方をし、「交換」ということに焦点をあてた説明である。交換がないことには芸術組織の存続はありえない。美的価値やその他の価値を創造し、それらの理想的な交換を追求するものがアートのマーケティングであると筆者は考えている。

より深い理解のため、影響力があるアメリカ・マーケティング協会American Marketing

Association, AMA による定義も経時的に紹介したい。

アメリカ・マーケティング協会の定義（一九四八年）
「マーケティングとは、生産者から消費者またはユーザーに、財ならびにサービスの流れを管理する事業活動の遂行である。」

アメリカ・マーケティング協会の定義（一九八五年）
「マーケティングとは、個人と組織の目的を満たす交換を創り出すために、アイデア・財・サービスについてのコンセプト形成・価格設定・プロモーション・流通を計画し、実行するプロセスである。」

一九六九年に Philip Kotler and Sidney J. Levy による「マーケティング概念の拡張[3]」という論文が発表され、それまで企業のためのものと思われていたマーケティングの対象を非営利や公共の組織まで適用可能として、概念拡張することが提唱された。これは賛否両論を巻き起こすことになった。その議論からかなり遅れてではあるが、ＡＭＡの一九八五年の定義から非営利・公共の組織も念頭に置いたものになったとされ、アーツ・マネジメントには意義深い定義といえる。この定義中には４Ｐ（後述）が含まれていることも見て取れる。

アメリカ・マーケティング協会の定義（二〇〇七年）

「マーケティングとは、顧客、依頼人、パートナー、そして社会全体にとって価値がある提供物を創造し、伝達し、届け、交換するための活動であり、一連の制度であり、プロセスである。」

その後、一九八五年の定義から二〇年近くたった二〇〇四年に新定義が発表されたが、そのすぐ三年後に再度改訂されたものが二〇〇七年のこの定義である。三つを比較してみると、定義の変遷がわかり、対象も方法も拡大・精緻化してきていることがわかる。

アーツ・マネジメントあるいは非営利の世界においては、マーケティングという語はまた別の使い方がされることもある。非営利芸術組織は先述の通りインカム・ギャップがある場合が多い。ということは、非営利芸術組織は二種類の収入を得ていることになる。チケット販売等を担当し事業収入を獲得するのが組織内のマーケティング部門であり、寄付等を募り助成収入を獲得するのはファンドレイジング部門（ディベロップメント部門）と呼ばれることもある。これは学問分野としてのマーケティングの意味とは異なるものであり、芸術組織の部門の慣用的な名称であろう。

この章の導入として、四つのマーケティングの説明や定義を紹介したが、それらは様々である。マーケティングは、二〇世紀初頭頃に誕生したといわれる。その後、コトラーとレヴィの「マーケティング概念の拡張」を契機として、非営利・公共組織への拡張や、ソーシャル・マーケティング[4]の出現につながり、マーケティングは変容してきた。マーケティングは、固定化された共通基盤の上に展開してきたわけではなく、社会状況に応じて変化し、その外延を拡大させてきたわけである。マーケティングは、営利企業の利益や売上増大の道具というビジネス活動としての一面のほかに、思考の枠組み、取引現象・交換行為のあり方の追求、消費社会の検討といった幅広い領域をも含むものである。非営利芸術組織にマーケティングを採り入れることは、商業主義に迎合することではなく、創造性や文化を尊重した上で、可能性を広げ、芸術の理想的な交換の実現を志向し、社会の中で芸術をいかに活かすかを目指すものなのである[5]。こういったマーケティングの理解の上に、この章の続きを読み進んでいただくことを希望する。

四・二　マーケティングの基礎

この節では、マーケティングの基本的知識を順に説明する。説明するのは、典型的な考え方のフレームワークであり、分析ツールでもある。マーケティング環境の分析、ＳＴＰパラダイム、マーケティング・ミックスの順に解説をしていく。

図 4.1　SWOT 分析の例（介護施設の場合）

	プラス要因	マイナス要因
内部環境	Strength　強み ・離職率が低く、経験を積んだ介護士等が揃っている。 ・最新の機器（入浴設備等）を備えている。 ・ICT も積極的に活用して、入居者と家族の利便性を図っている。 ・一流のシェフが料理を作っていて、食事の評判がよい。	Weakness　弱み ・入居者数に対する介護士の数がやや少なめである。 ・若手の介護士が不足している。 ・送迎等に使用する車両の数が不足している。
外部環境	Opportunity　好機（機会） ・日本全体のみならず、市内の高齢化がとりわけ進んでいる。 ・入居者の紹介が増えてきている。 ・新しいバス路線ができて、家族が通いやすくなった。 ・近隣に宿泊施設ができた。	Threat　脅威 ・同じ地区に大型の類似介護施設の新設が控えている。 ・基本的な介護以外の付加価値が求められる傾向が高まっている。 ・各種経済指標が悪くなっており、日本経済の先行きが不透明であり、介護施設の経営にも影響があるかもしれない。

四・二・一　マーケティング環境の分析

　マーケティングを導入し、実施する第一段階として、経営環境の分析を行う必要がある。分析の手法はいろいろあるが、基本的なものをいくつか説明していきたい。

SWOT分析

　SWOT分析は、自らの組織内部に関することと、組織をとりまく外部に関することに分け、それぞれのプラス要因とマイナス要因を識別することである。内部環境におけるプラス要因を**強み Strength**、内部環境におけるマイナス要因を**弱み Weakness**、外部環境におけるプラス要因を**好機（機会）Opportunity**、外部環境におけるマイナス要因を**脅威 Threat** と呼ぶ。その後、強みと好機をどう活用するか（S×O）、強みを活かして脅威をどう克服するか（S×T）、弱みのために好機をとらえ損なわないためにどうするか（W×O）、弱みと脅威が重なる最悪の事態でどう被害を抑えるか（W×T）を検討する。アート分野ではないが、非営利組織である介護施設の場合で方法を例示する。

PEST分析（PESTLE/PESTEL 分析）

PEST分析は、マクロ環境を把握するためのフレームである。外部環境はさらにマクロ環境とミクロ環境という二つの視点に分けることができ、マクロ環境は統制不可能なもののことであり、ミクロ環境は準統制可能なもののことである。マクロ環境の中で、政治動向、法的規制等の **Political**（政治的要因）、経済水準、所得水準、為替レート、金利等の **Economic**（経済的要因）、人口動態、価値観、流行、習慣等の **Social**（社会的要因）、技術革新等の **Technological**（技術的要因）を識別するものである。[6] 近年は、**Legal**（法的要因）、**Environmental**（環境要因）を加えて、PESTLE または PESTEL として考える方法もある。

図 4.2　ファイブ・フォース分析

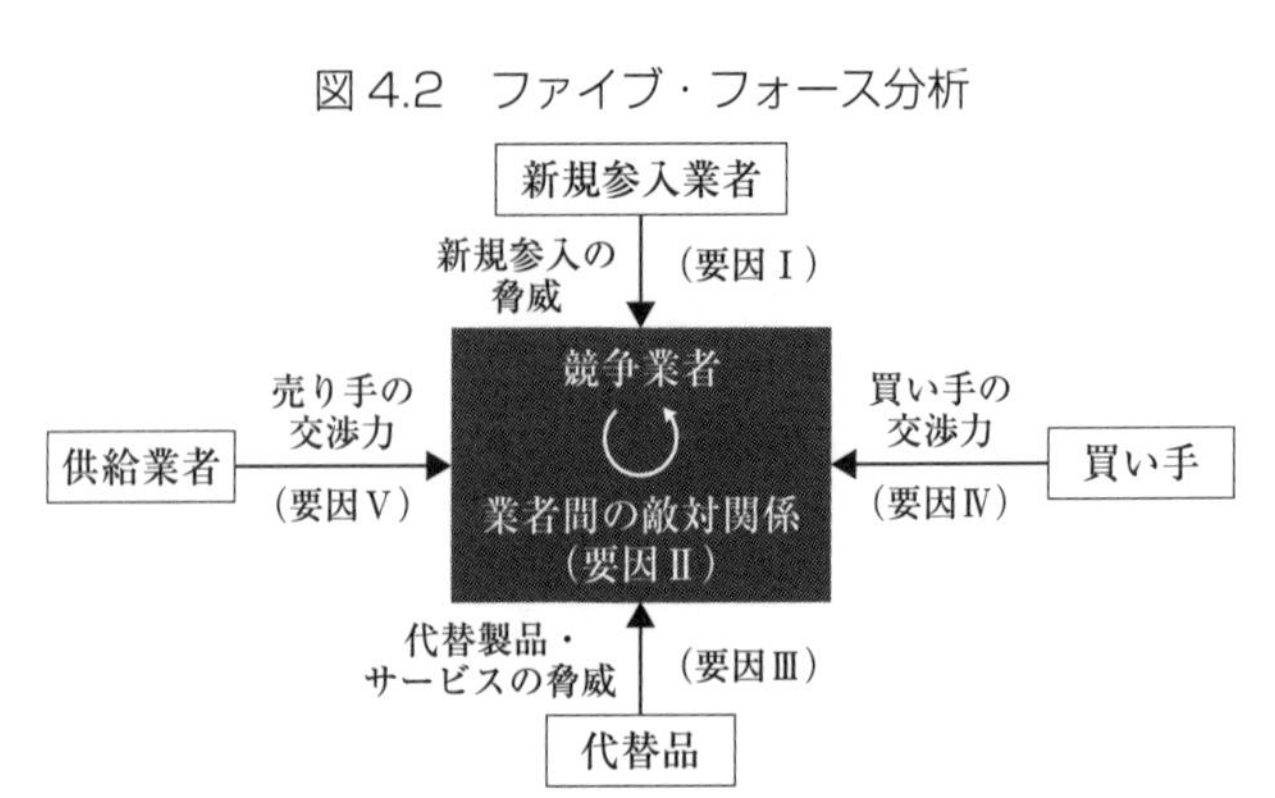

（出典：ポーター『競争の戦略』ダイヤモンド社、1982年、p.18）

ファイブ・フォース分析（五つの力の分析）

Michael Porter[7]により提唱されたファイブ・フォース分析（五つの力の分析）は、経営学の学習者が必ず勉強するといってよい古典的なフレームワークである。五つの力（競争要因）とは、「新規参入の脅威」（要因Ⅰ）、「既存競争業者の間の敵対関係の強さ」（要因Ⅱ）、「代替製品からの圧力」（要因Ⅲ）、「売り手の交渉力」（要因Ⅴ）、「買い手の交渉力」（要因Ⅳ）のことであり、これらは潜在的な要因と顕在的な要因とに分けられる。各要因間の力関係により競争の激しさや収益率に影響を及ぼし、業界の構造を決定するという考え方である。このフレームを通して見ることにより、混沌としたものと感じられていた業界が、はっきりと把握できるようになり、業界の理解に役立つ。その反面、このフレームは主にミクロ環境の分析であり、マクロ環境に関しては別の分析法（PEST分析等）を用いて理解する必要がある。

図4.3　ファイブ・フォース分析の非営利組織への応用

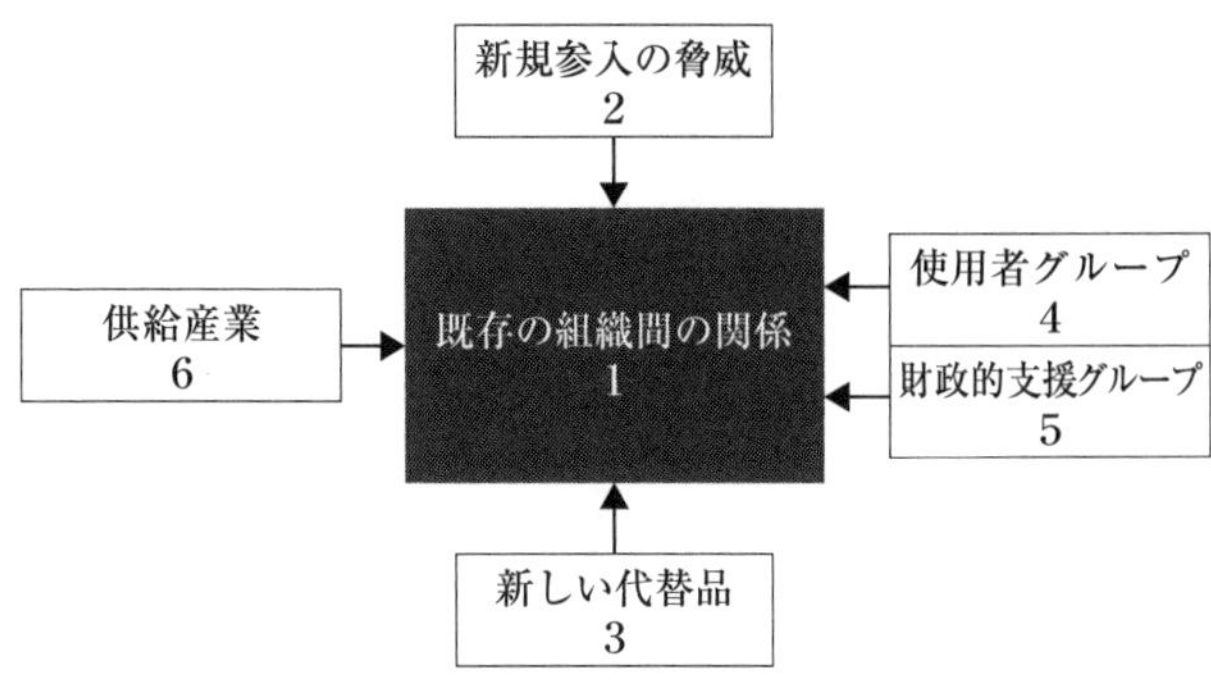

（出典：オスター『NPO の戦略マネジメント』ミネルヴァ書房、2005 年、p.32）

Porter のファイブ・フォース分析は、営利企業の分析のためのフレームワークであるが、その後 Sharon M. Oster がこれを非営利組織に応用した。非営利組織の収入は、事業収入（〔小売りに相当する〕チケット購入者からのチケット収入や、〔卸売りに相当する〕公演の主催者からの公演収入等）と助成収入（寄付、補助金、助成金等）とがある。Porter のフレームワークでは買い手としていたところを、Oster は「使用者グループ」（事業収入の源泉）と「財政的支援グループ」（助成収入の源泉）とに置き換えている。[8]

バリュー・チェーン（価値連鎖）

バリュー・チェーンは、同じく Porter[9] が考案したものであり、主に内部環境の分析に使用できる。組織の事業活動は、（前述のライン部門に相当する）主活動と（スタッフ部門に相当する）支援活動に分けられる。さらに各々

図4.4　バリュー・チェーンの概念図

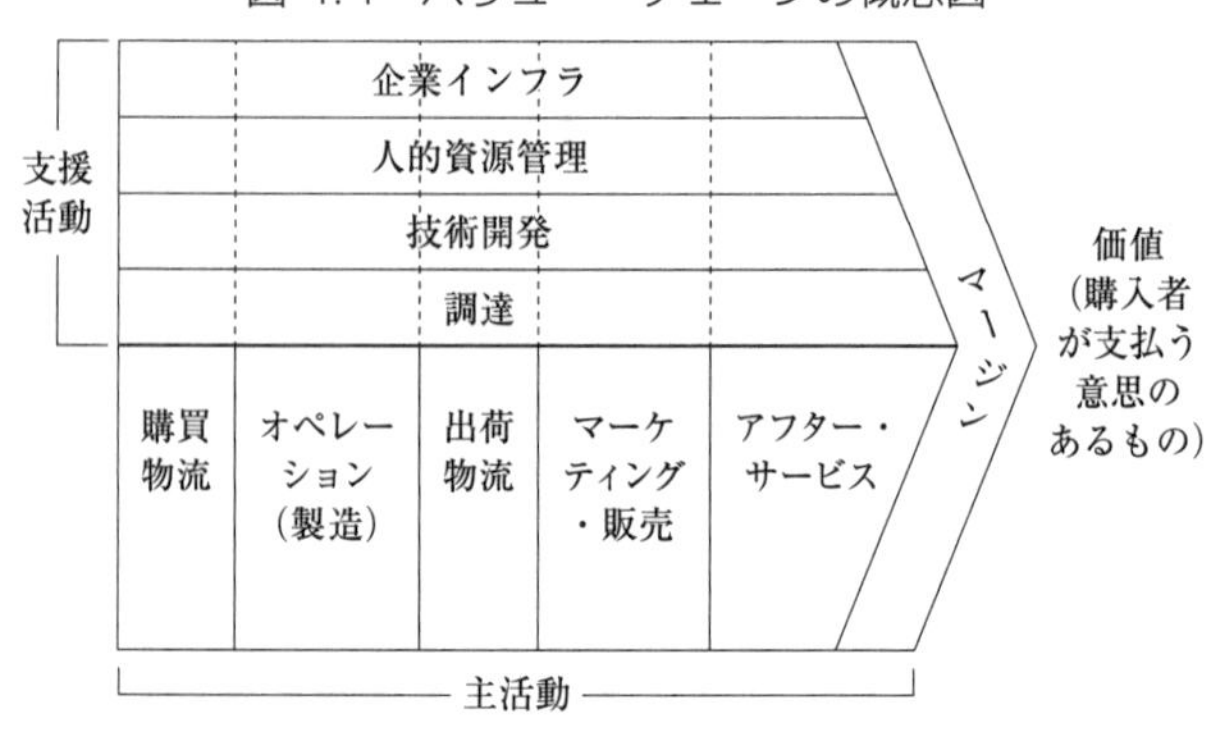

（出典：Michael E. Porter, *Competitive Advantage*, The Free Press, 1985, p.46）

を機能別に分けると、主活動には購買物流Inbound Logistics、オペレーション（製造）、出荷物流Outbound Logistics、マーケティング・販売、アフター・サービスAfter-Sales Serviceが含まれ、支援活動には企業インフラ、人的資源管理、技術開発、調達が含まれる。そして、各機能のどの段階でどのように付加価値が生み出されているか、どの段階がどのくらい貢献しているか（あるいはしていないか）、価値の源泉はどこかを検証するものである。マージン（利幅）は売上から主活動と支援活動の費用を引いたものであるので、図4・4では川下である右側に書かれている。その右には、購入者が支払う意思があるものを意味する「価値」がある。この場合の最終的アウトプットである価値とは、顧客価値あるいは顧客知覚価値の意であり、それは顧客が得る便益（知覚価値）から顧客が支払う費用（知覚費用）を差し引いた、顧客から見た評価[10]と考えて差し支えないであろう。

図 4.5　ミュージアム・バリュー・チェーン

企業インフラ
ファンドレイジング
人的資源管理
プログラム・コンテンツ開発
教育プログラム

収集・保管	展示	ホスピタリティ・サービス	マーケティング・販売	来館者／支持基盤へのサービス

余剰　社会的便益

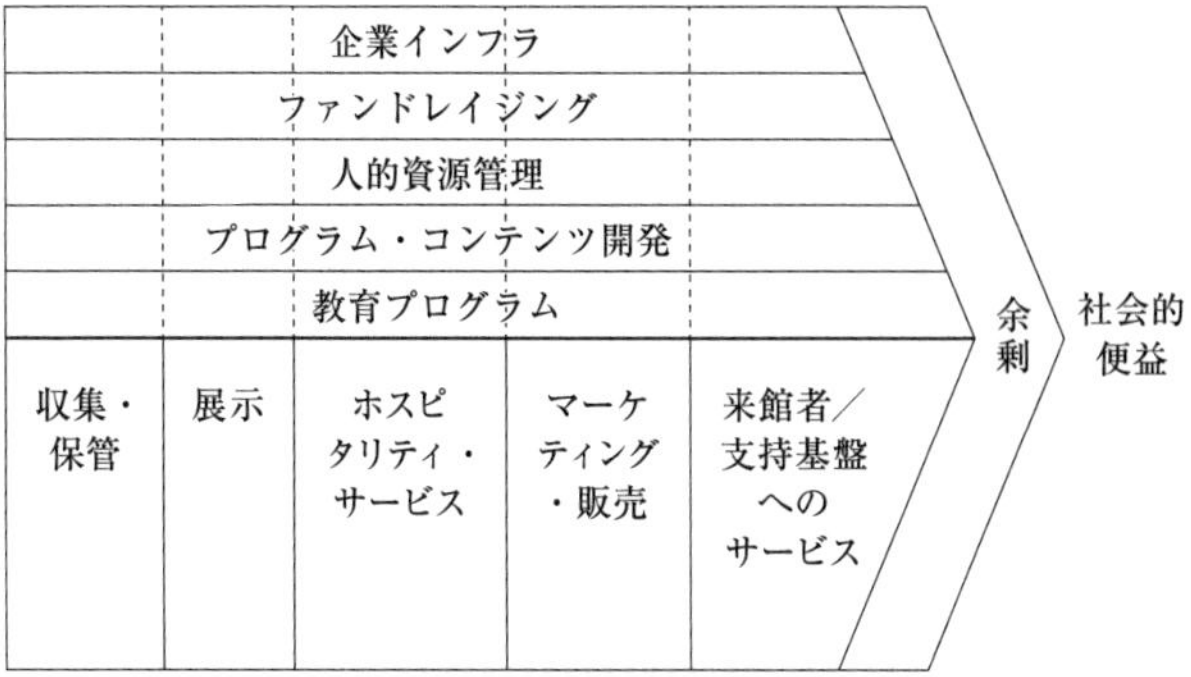

（出典：https://www.hbs.edu/ris/Publication%20Files/Strategy_for_Museuems_20060427_8d7858e7-8066-4cdb-a790-986f55e87ae4.pdf）

その後、バリュー・チェーンの基本的な考え方は、芸術組織にも応用される。ミュージアム・バリュー・チェーン[11]では、アウトプットは余剰、社会的便益と変えられており、個々の顧客にとどまらない社会的な価値（社会的便益÷費やされた資源）を博物館がどのように生み出すかが焦点となっているものである。Stephen Preece はバリュー・チェーンの考えを実演組織に応用する研究を発表している[12]。

四・二・二　STPパラダイム

（a）セグメンテーション

マーケティング環境の分析を十分に行った後、次にSTPを策定していくことになる。ここでいうSTPのSはSegmentation（Market Segmentation 市場細分化）のことであり、TはTargeting（標的市場設定）、PはPositioning（ポジショニング：消費者の心の中での製品の位置づけの想定）を意味する。

ニーズとは必要なものが欠乏している状態（例：喉が渇いた）のことをいい、**ウォンツ**とはより具体的、特定化されたもの（例：ミネラル・ウォーターが欲しい）のことであり、ニーズを満たす手段ということもできる。それに購買力が伴うと**需要**ということになる。様々な説明があるが、本書ではこのように考えておくことにしたい。日本では一九八〇年代頃から消費者のニーズが多様化してきたといわれる。多様なニーズすべてを単一の製品で満たすことは困難であろう。

多様なニーズがある中で、ただ闇雲に売ろうとするだけではセリングになってしまう。セリングではなくマーケティングを行うためには、消費者がどのようなニーズを持っているかを調べて識別し、同様のニーズを持つ市場をグループに分けるということをする。これをセグメンテーション（市場細分化）という。

セグメンテーションをするためには、以下の変数が用いられることが多い。

・デモグラフィック変数（人口動態変数）（年齢、性別、世帯規模、ファミリー・ライフサイクル、所得、職業、教育、宗教、人種、世代、国籍など）
・地理的変数（国、地域、行政区、人口密度、気候など）
・サイコグラフィック変数（心理的変数）（社会階層、ライフスタイル、パーソナリティなど考え方や価値観）

・行動変数（購買状況、求めるベネフィット、使用者タイプ、使用率、ロイヤルティ・タイプ、購買準備段階、製品に対する態度など）

ある種のアート（ハイ・アート）の消費者の層には、世界共通の偏りがあることがわかっている。高学歴、高収入、（多くの場合）中高年の消費者が、ハイ・アートの主たる顧客である。人種的な偏りがある場合もある。また世界的に、一九九〇年代以降からは「聴衆の高齢化 aging audience」という問題も叫ばれるようになった。最も悪いシナリオを想定すると、ある組織の顧客が時間と共に年齢を重ねていき、しかし若い層は新規顧客とならず、聴衆全体が高齢化していって、しまいには聴衆が激減するというものである。

（b）ターゲティング

セグメンテーションをした後、どのセグメントをターゲット（標的市場）とするか定めていく。これをターゲティングといい、いくつかのタイプに分類できる。芸術組織にとって、ステークホルダーの中でどの層の顧客を各製品（展覧会、公演等）で想定するかを定める行為となる。

ニーズの異なる複数のセグメントをターゲットとし一つの製品を（一つのマーケティング・ミックスで）提供しようとすることを**無差別型マーケティング**といい、すべてのセグメントをターゲットとすることを**マス・マーケティング**という。消費者のニーズが多様な現代の企業では、マス・マーケティングで成功することは難しくなってきている。複数の選択されたセグメントに対し、それぞれ違った製品（違ったマーケティング・ミックス）を提供しようとすることを**差別化型マーケティング**という。すべてのセグメントに対し、それぞれに合った異なる製品を提供することを**フルライン戦略**という。これはコストがかかり、効率がよいとはいえない。一つのセグメントを選択しそれに適した製品を提供することを**集中型マーケティング**という。これは効率的でコストも低く抑えられるが、一つのセグメントに依存するのでリスクがある。顧客一人一人に合わせた**ワン・トゥ・ワン・マーケティング**もさかんになりつつある。

「B to B」と「B to C」という言い方もしばしば耳にするだろう。**B to B**とは、Business to Businessのことであり、企業対企業の取引のことを意味する。**B to C**とは、Business to Customer（Business to Consumerと書かれている書籍もある）のことであり、企業対消費者（＝個人顧客）の取引のことである。芸術組織もB to Cの取引（例えば、個人へのチケット販売）のほかに、B to Bの取引（例えば、公演自体の主催者への販売）がある場合があり、それぞれ適切にターゲットを定める必要がある。

図 4.6　知覚マップ（オーケストラの例）

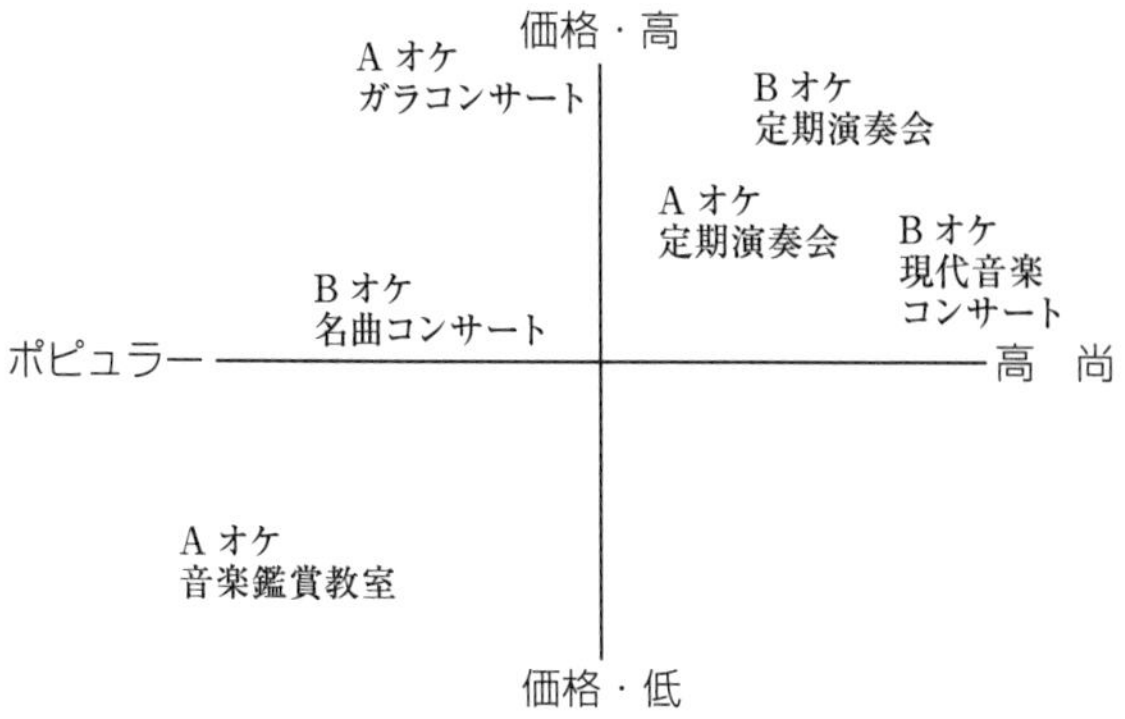

価格・高
A オケ ガラコンサート
B オケ 定期演奏会
A オケ 定期演奏会
B オケ 現代音楽コンサート
B オケ 名曲コンサート
ポピュラー
高尚
A オケ 音楽鑑賞教室
価格・低

（c）ポジショニング

セグメンテーションとターゲティングは顧客のニーズに関することであるが、それに対しポジショニングは、自らの組織と競合する他の組織の競争優位に関することである。同じターゲットを対象とした類似する製品を供給するのは、通常は一つの組織だけではなく、複数である。競合がある中で、顧客から選択してもらうためには、差別化を図り、優位性、独自性のある製品を提供しなければならない。優位性のある自らの製品の位置づけ、つまりポジショニングを考えるには、知覚マップを利用することができる。競合が多い位置より少ない位置で製品を出すと有利ということが一般にはいえるだろう。注意しなくてはならないのは、上の図は製品の分析ではないということである。消費者の心の中の製品の位置づけ、心の中のイメージの想定を表したものであることに留意する必要がある。

ＳＴＰが決定したら次にマーケティング・ミックスの決定を行うのだが、その説明に移る前に少し脇道にそれて、マーケティングにおける目標と入場者数の数え方について考えてみたい。

マーケティング目標

営利組織におけるマーケティングの目標は、通常は**利益最大化**と考えることが多いであろう。また、**収入最大化**（売上高最大化）という場合もあるだろう。一方、非営利芸術組織はミッション主導型の組織であり、利益は組織存続のための必要条件ではあるものの、マーケティング目標は利益や売上のみに限定されるものではない。非営利芸術組織のマーケティングの目標設定をする場合には、様々なものが考えられる。ミッションの達成を直接測定することが難しい場合は、代理変数と呼ばれる別の数値で測ることがある。

利用者数最大化（入場者数最大化）は真っ先に考えつく基本的な指標である。（顧客数の最大化やシェア（市場占有率）の最大化という目標は営利組織にもありうる。）この目標は美術館・博物館でも自治体関連施設でもこれまでにしばしば採用されてきた。利用者数（入場者数）により、普及の度合いを測ることができる。ただし、これはアウトプット指標であって、アウトカム指標も採り入れるべきということもこれまで指摘されてきた。アウトプットというのは、出力・産出・結果のことであり、インプット＝入力・投入の後にくる。アウトカムは成果のことであり、アウトプットをもとにして得られた効果のことである。例えば、交通事故が多いという問題に対し、信号機をX箇所設置したというのがアウトプット、事故がY件減ったというのがアウトカムにあたる。

コンサート・ホールなどでは収容数の上限があり、それ以上にチケットを売ることはできない。その場合は、劇場やホールの座席を満席にする**キャパシティ・ターゲティング**（収容数内の最大化）がマーケティング目標となる。もっとも、美術館・博物館の場合も入場者数に上限がないわけではなく、会場内が混雑しすぎれば鑑賞に支障をきたす事態になる。その場合は、需要を抑制する**ディマーケティング**の策をとることがある。収容数に上限があるというのは、チケット収入にも上限が出るし、もし収容数以上の需要があるときは鑑賞希望者のニーズを満たすことができないので、大きい会場に変更することも考えられる。ただ、オーケストラ、室内楽、演劇、文楽などアート・フォームによって適切と考えられる大きさがある場合があり、必ずしも自由自在に変更ができるわけではない。

非営利組織の場合は、利益の最大化を目的としない場合が多く、もし利益が出るのであれば、その分の利用料金を安価にするか、未来のサービスの向上ができるよう内部留保をするといったことがしばしばある。つまり、損益なし、もしくは収支をわずかの黒字にすることを目標とする**総費用の回収** Full Cost Recoveryということもマーケティング目標になりうる。または、予め一定の助成収入が得られることが決まっているのであれば、**部分的な費用の回収**という目標もありうる。

規模が大きいことをよしとする考え方もあり、（オーケストラで三管編成にしたいなど）メンバーを増やしたり、公演数、予算等を増やしたりすることを目標とすること、つまり**規模の最大化**という目標もある。ただし、過度な拡大策をとってしまうと、経営が行き詰まる可能性がある。そのような事例は芸術組織にはしばしば見られる。

そのほか、**顧客満足度**Customer Satisfaction**最大化**というマーケティング目標もありうるし（それをつき進めれば、顧客感動Customer Delightの最大化）、**芸術的洗練の最大化**は芸術組織にとって、いうまでもない目標であろう。芸術的洗練の最大化という目標は測ることが難しく、クオリティの高低はアーティスト自身が最もわかっていることが多いため、従業員（アーティストなど）の満足度の最大化をもって代えられる可能性がある。[13]

入場者数の計算方法

入場者数を算出するときに、リーチとフリクエンシーとに分けて計算する方法がある。[14]単純化した例で説明すると、（年間に複数回の公演をする実演団体などで、）総入場者数（延べ人数）が同じ二〇〇〇人であっても、年二回来場する人が一〇〇〇人（フリクエンシーが二、リーチが一〇〇〇人）と年五回来場する人が四〇〇人（フリクエンシーが五、リーチが四〇〇人）とでは状況が異なる。リーチは実顧客数をあらわし、フリクエンシーは頻度であって、すなわちどれだけ熱心に通ってくれるかを意味する。そのどちらが望ましいかは組織によって異なってくるであろう。この二種のリーチの例（一〇〇〇人と四〇〇人）が人口二〇万人の市であったとすると、リーチ・パーセンテージ（母集団におけるその団体の顧客数の割合）はそれぞれ1,000 ÷ 200,000 = 0.5%、400 ÷ 200,000 = 0.2% という式で計算することができる。

四・二・三　マーケティング・ミックス

我々が何かを消費するときに、何を見てそれを知り、どんな製品を、いくらで、どのような入手方法・場所で買うかを考える。マーケティング・ミックスとは、（供給側の視点で）製品Product、価格Price、流通・場所Place、プロモーションPromotionの最適な要素の組み合わせを決定することである。この四つは、マッカーシーの4Pとして知られている。5P、6P、7P等々、もっと多くのPを唱える人もいるが、基本は4Pと考えてよいだろう。4Pの考え方は半世紀以上も利用されていることから、一定の普遍性を持つものといえるだろう。この四つのPはいわば一体のものであって、個々に独立した変数というわけではないことには注意しなければならない。例えば、ラグジュアリー・ブランドの製品は、価格に見合った品質、接客、アフター・

サービス等がある。つまり、価格と製品とが不可分ということである。あるいは、一〇〇円ショップは価格に対して非常によい商品があるから消費者に受け入れられているわけである。供給側からの4Pとは逆に、需要側（消費者側）からの視点による4C（顧客価値 Customer Value、顧客コスト〔Customer〕Costs、利便性 Convenience、コミュニケーション Communication）を Robert F. Lauterborn は提唱している。次は4Pを個別に解説していきたい。

（a）Product（製品戦略）

芸術組織にとっての製品は、公演、展覧会、芸術作品などであり、英語ではそれを Artistic Product と呼ぶことが多い。芸術組織でも企業でも、単一の製品を供給していることは少なく、複数の異なる製品の組み合わせを提供している。複数の製品の組み合わせのことを**製品ミックス** Product Mix と呼ぶ。適切な製品ミックスの組み合わせをすることが芸術組織にとって不可欠かつ肝要である。多くの芸術組織は、例えば、実験的な作品、定番といえる作品、普及目的の作品、教育的な作品等、ミッションに応じて適切な割合で組み合わせている。

最寄品、買回品、専門品

小売りにおける購買習慣からは、製品を最寄品（もよりひん）、買回品（かいまわりひん）、専門品の三つに大きく分けることがある。[15] **最寄品**とは、日常的・習慣的に購買をするもので、高額なものではなく、それほど労力や時間をかけずに近くで購買をするものである。例えば、洗剤、食料品、市販薬などが挙げられる。**買回品**は、品質、機能、価格などを比較・検討して購買をするもので、購買をする地理的範囲もより広くなる。例えば、電気製品、家具、衣料品など耐久消費財や趣味性の高いものなどが挙げられる。**専門品**は、購買までに十分な労力を払って検討する特別な思い入れのあるもので、高価で購買頻度が低いものが多い。例えば、特定の高級ブランド品などが挙げられる。各分類の製品により、マーケティング・ミックスの他の三つのPは当然異なってくる。この三分類では、アートは専門品あるいは買回品に分類されるという見解がある。[16]

前に述べたように、マーケティングは元来顧客志向の性質を持っており、自ずと売れるような顧客のニーズに合わせたものを作る、といった発想がある。ところが、顧客の顕在的なニーズに合わせるだけでは、新しい発想の製品を生み出すことは難しい。顧客は、自分のニーズを認識できず、それ以外のニーズも実は存在することがあり（潜在的なニーズ）、具体的な新製品を提示されてから自分のニーズを自覚することもある。一般の製品であっても、よりよい製品を創ろうとするシーズ志向と、ニーズ志向の両方のバランスが重要ということになる。

芸術作品の価値のひとつに人間の創造性、独自性、新しさということがあるとしたら、多くの人が感じる顕在的ニーズに基づいた製品を提供ばかりしていては、大衆迎合主義や商業主義に陥り、芸術の意味がなくなるとも考えられる。その一方で、芸術組織がアートの世界にのみ没入してしまい、顧客を顧みない製品、製品ミックス（芸術的製品の組み合わせ）を提供するとしたら、顧客との乖離や離反を生み、その芸術組織は収入不足になる可能性がある。

プロダクト三層モデル（製品三層モデル）

製品の価値構造を三層に分けて考えるものである。通常は同心円状の図（次ページ）に表され、一番中心の円から「製品の中核」、その周りが「製品の実体」、外側の円が「製品の付随機能」となる。[17] **製品の中核**は、それが欠けたら成り立たないような本質的な便益のことである。自動車という製品を例にとれば、移動という便益のことであり、コンサートという製品を例にとれば、音楽の鑑賞から得られる便益のことである。**製品の実体**は、購入した財やサービス全体のこととなる。自動車の例ではデザイン、外装、内装、燃費性能など自動車全体のことである。コンサートでは、チケットを購入して得られるのは鑑賞行為のみではなく、コンサートに行って得られるすべての財やサービス、例えば、鑑賞しやすい環境、会場案内などの顧客サービス、プログラム冊子、豪華な雰囲気、知人との交流の機会、そこに参加することによる社会的なステータスなどが製品の実体に含まれる。**製品の付随機能**は、さらに価値を高める追加的なサービスのことであり、自動車では保証、アフター・サービスなどであり、コンサートではプレ・コンサート・トーク、

図 4.7　プロダクト三層モデル

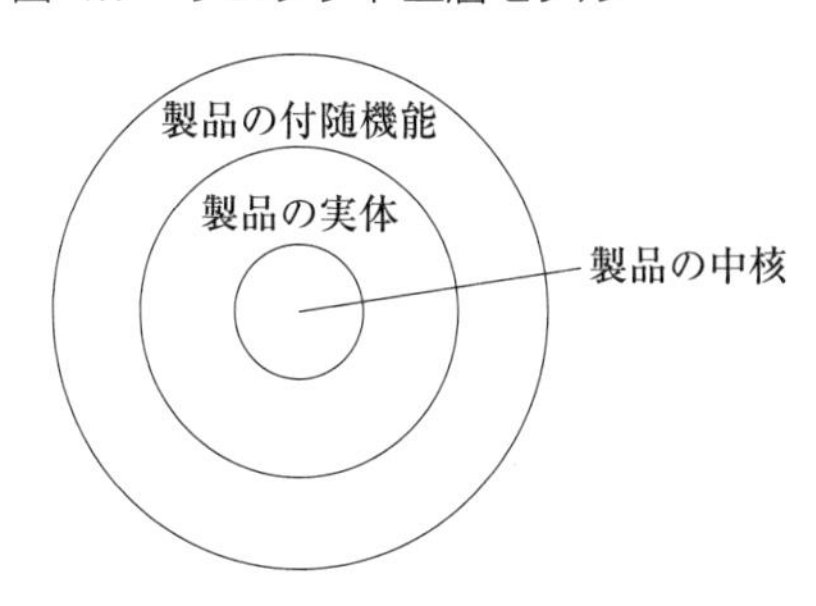

バック・ステージ・ツアー、交流会、レストランの特別メニュー、駐車場割引、支払方法などが含まれる。ややもすれば製品の中核だけに目が行き、それがよければ十分と考えがちな芸術組織や関係者も見受けられる中で、顧客が製品から得る三つの層の「便益の束 Bundle of Benefits」という考えは、アーツ・マネージャーやマーケターには一考の価値があると思われる。

有形財と無形財（サービス）という二分法があるが、我々が日々消費をしている中で、有形財のみを売っている例は思ったほど多くはない。多くは有形財と無形財の混合物を販売している。例えば、電気製品にしても自動車にしても、有形財だけを購入するわけではなく、保証やアフター・サービスという無形財も含めて購入しているので、我々は有形財と無形財の混合物を購入していると考えられる。

サービス・ドミナント・ロジックという概念もあり、これは製品をすべてサービスに置き換えてとらえる考え方である。

サービス・ドミナント・ロジックは Vargo と Lusch により提唱されたものである。[18] 顧客が（ホームセンターで）買うのはドリルではなく、ドリルの穴が欲しいのだという印象的な表現は、Leo MacGivena の言葉を Theodore Levitt が引用して有名になった。[19] 顧客が得る便益が何であるかに変換して考えてみることも、芸術組織にとっては有用であろう。

（b） Price（価格戦略）

価格はどのように決まるのか。それは、当然のことながら、需要と供給のバランスということになるが、売り手側からは通常は、コストはいくらかかるか（費用）、買い手がいくらだったら買いそうか（需要）、競合がどのように価格設定するか（競争）の三つの点を考慮して価格設定がされる。

コスト計算をしてそれに利幅（マージン）を上乗せして売価を決めるという方法は、営利組織では当然に勘案されることであろう。ペネトレーション価格設定（市場浸透価格設定：製品投入初期はコストが回収できないくらいの低めの価格に設定しても、次第に販売量が増してくれば利益を出せる価格設定の方法）では単位当たりのコストを下回る販売単価に設定することもあるが、それ以外では組織の存続のためには単位当たりのコストを上回る単価にしなければならない。

一方、非営利・公共の芸術組織の場合は、利用者が入場しやすい価格か、他の組織がどのくら

総チケット収入
＝（S席のチケット価格×S席の販売数）＋
（A席のチケット価格×A席の販売数）＋
（B席のチケット価格×B席の販売数）＋
（C席のチケット価格×C席の販売数）……〔四ランクの場合〕

いの価格にしているかなど、需要や競争の方をより考慮に入れ、インカム・ギャップは他の収入（助成収入等）で埋めることを検討する。利用者の属性別のチケット価格や入場料（一般、学生、シルバー等）を採用し、各種割引の設定や招待券complimentary ticketを出す場合も少なくない。実演団体の場合は、数ランクの券種を設けることが多く（S席、A席など）、総チケット収入は上記の式で表せる。しかし、年間の公演数が一定数以上の実演団体の場合、定期会員制度Subscriptionを設けていることもあり、その場合は上の式のように単純に計算することはできない。定期会員制度は年間の複数のチケットあるいはシーズンのチケットをセットで割引販売する制度である。近年は、かなり先の予定を決めておくことが難しい人も多くなり、よりフレキシブルな一回券や直前の購入が好まれる傾向もある。定期会員制度は欧米に由来するものであり、その実演団体へのロイヤルティや社会的なステータス等と関係する場合もある。定期会員制度は基本的に前払いなので、芸術組織のキャッシュ・フローにも有利に働く。

需要の価格弾力性
＝需要の変化率（％）÷価格の変化率（％）
＝（販売量の変化量÷販売量）÷（価格の変化額÷価格）

需要の価格弾力性

需要の価格弾力性とは、価格が変化したときに需要（販売量）がどれだけ変化するかを数値で表すもので、上記の式で計算できる。この値の絶対値が1より大きければ、弾力的といい、絶対値が1より小さければ、非弾力的という。芸術組織の場合は、一部の例外を除いて（学生など）、非弾力的と出る場合が多い。つまり値上げされても、そのまま購入し続ける人が多いということである。価格に対する敏感さや反応は、**価格感度（価格感受性）**ともいわれる。Thomas T. Nagle と Reed K. Holden は価格感受性の低下につながる要素として以下を挙げている。

- 製品が個性的である。
- 買い手が代替製品を認知していない。
- 買い手が代替製品の品質を容易に比較できない。
- 出費が買い手の総収入のほんの一部にすぎない。
- 出費が最終製品の総コストに比べて小さい。
- コストの一部が別の関係者によって負担される。
- 製品が以前購入した資産と併せて利用される。

・製品の品質、格式、高級感がより高いと考えられている。
・買い手が製品を蓄えておくことが不可能である。[20]

この中のいくつかは芸術組織の提供する製品にもあてはまるであろう。

芸術組織あるいはアート・フォームにより、消費者行動の特徴は異なる。マーケティング目標の項でも触れたが、非営利分野のアーツ・マーケティングにおける価格戦略は、オーディエンスを含むステークホルダーが受ける価値と、持続的で健全な経営をしなければならない芸術組織の理想的な配分を決める行為のひとつといえる。

(c) Place（流通戦略）

販売場所、そこから転じて流通のことであり、流通戦略を意味する。アートの世界にあてはめるならば、開催場所や各種流通（チケット販売、物品販売等）の方法にあたる。

チケットは法律（刑法）上の有価証券であり、公演や展覧会に入場する権利の流通ということになる。チケット流通は、テクノロジーの進化と関連し、日進月歩である。そして、テクノロジーの進化により、関与するアクターも変わってきている。

かつてはチケット実券の物流が中心であったが、一九八〇年代前半からプレイガイド ticket

agency（チケットぴあ、チケットセゾン＝イープラスの前身、CNプレイガイド等）がコンピューター・チケッティングを開始し、顧客はどの場所にあるプレイガイドでもチケットを選択して購入できるようになった。プレイガイドの会社が参入することで、チケット購入者の利便性は増したが、芸術組織にとっては、チケット販売手数料等の負担のほか、マーケティング分析に必要な顧客データの入手が困難になるという側面もあった。

二〇〇〇年代以降は、コンピューターの普及によりチケット販売における物流の要素が薄まりつつある。コンピューターの普及によって参入障壁も低くなり、大小の新規参入も増えている。インターネットとスマートフォンの普及、バーコードやQRコード、（コンビニ等にある）マルチメディアステーションなどにより、ますます情報検索やチケット入手に手間がかからないようになり、次第にペーパーレス化（電子チケット）も進んでいる。そして、チケットの二次流通やチケット予約代行といったこれまではそれほど目立たなかった業務も拡大、多様化してきた。

その一方で、一部のチケットの高額転売が問題となり、「特定興行入場券の不正転売の禁止等による興行入場券の適正な流通の確保に関する法律」（チケット不正転売禁止法）が二〇一九年に施行されることになった。「特定興行入場券」とは、主催者が同意なく有償譲渡することを禁止したチケットのことであり、特定興行入場券の不正転売と不正転売を目的として譲り受けることが禁止された。高額転売が特に問題となったのは一部のスポーツや芸能に関してであるが、アーツ・マネジメントの世界への影響も少なくない。

（d） Promotion（プロモーション戦略）

プロモーションは芸術組織側から消費者へ一方向に情報が流れるイメージがあるが、コミュニケーションという語の方が幅広く、双方向の意味合いが含まれる。よって、プロモーションはマーケティング・コミュニケーションの一部と考えられる。インターネットが普及した現在では、双方向のコミュニケーションはますます重要になっている。

プロモーションのツールはいくつかあり、それを最適な組み合わせにする必要がある。それを**プロモーション・ミックス**という。その代表的なツールを説明する。

広告 advertising は、有料の媒体を使用する、人によらない方法であり、テレビ、新聞・雑誌、交通広告、屋外広告、インターネット広告等がある。テクノロジーの進歩により近年はデジタル・サイネージのようなものも使用されており、インターネットを利用した広告の手法は多様化している。広告にもリーチ（広告に接触したターゲットの数や割合のこと）とフリクエンシー（ターゲットが広告に接触した回数のこと）が使用され、リーチ×フリクエンシー＝ＧＲＰ（Gross Rating Point 延べ到達率）が計算される。

パブリシティは、各媒体に（記事や報道などの形により）代金を払うことなしに採り上げられるようにする活動のことである。芸術組織が行っているプレス・リリースや記者会見もその活動の一つである。

販売員活動は、人的販売ともいわれ、人と人との接触による販売促進活動である。複雑な情報を伝達し理解してもらうときに特に有効とされる。

販売促進とは、以上の他のプロモーション活動を補助して、消費を促進したり、他の組織の協力を得たりするための活動のことであり、プレミアム、コンテスト、ノベルティ、サンプリング、セールスショー、クーポンやスタンプなどがある。

以上のツールを最適に組み合わせて実行することにより、効率的かつ効果的なプロモーションが実施できると考えられている。

その他、インターネットが普及しデジタル・メディアが発達してきた近年の分け方として、メディアの種類による分類もある。

オウンド・メディア Owned Media：ウェブサイト、ブログ、ＥＣサイト等、その組織や代理者が管理するメディア。

ペイド・メディア Paid Media：ディスプレイ広告、バナー広告、検索広告等、有料にて掲載される広告等。

アーンド・メディア Earned Media：右記のパブリシティ等、（芸術組織が金銭的な負担をすることなく）企業により伝達されるメディア。芸術組織側からすると、情報を完全にコントロールすることはできない。

シェアード・メディア Shared Media：ＳＮＳ等の消費者により共有されるメディア。芸術組織側からすると、やはりコントロールすることは難しい。

現在はこのような分類もされるようになったが、今後ますます発展し、形を変えていくと思われる。資金力が十分でない非営利芸術組織は、大規模な広告を出すことは現実的ではないので、金銭的・人的資源が可能な範囲で、効果的な方法を検討しなければならない。

なお、時代や組織により様々な定義があるものの、広報 Public Relations, PR とは、公衆 the public（ステークホルダーと考えてもよい）との良好な関係を築くための分野である。（株式会社には、株主や投資家との良好な関係を築くＩＲ〔Investor Relations〕という部署を持つところがある。）小規模な芸術組織ではマーケティングと広報とファンドレイジングを同じ担当者が行っているところもある。中規模な組織ではマーケティングや広報の担当者と、ファンドレイジングの担当者とは分かれている。大規模な組織ではマーケティングと広報とファンドレイジングとを別の担当者が行っているところがある。

　このような事情もあるため、広報とプロモーション・広告・宣伝・マーケティングなどとの意味の混同がしばしば見られる。また、日本語の単語の意味と外国語の単語の意味が、一対一で対応しているわけでもないので、事情を複雑にしている。広報は、プロモーションと同義ではないし、プロモーションの一部である広告とも同義ではない。

四・三　アーツ・マーケティングに関連するトピック

四・三・一　オーディエンス・ディベロップメント

　顧客は、現顧客、潜在顧客（将来顧客になる可能性がある層）、中止者（過去に顧客であったが現在は違う層）、非顧客（将来にわたり顧客になる可能性がない層）に分けることがある。非顧客の中にも様々な種類が考えられ、無関心層から拒絶者まで存在する可能性がある。

　マーケティングにおけるセグメンテーションとターゲティングは、現顧客、潜在顧客、中止者を対象とし、顧客を絞り込んでいくという方向性がある。ところが、芸術の享受者、鑑賞者、理解者、支持者をもし増やしたいのであれば、むしろターゲットは広げていかなければならないはずである。マーケティングの一般的な手法は、芸術を普及する目的のために顧客を広げていくことと相矛盾すると感じられるかもしれない。そこでオーディエンス・ディベロップメント（オーディエンス開発）ということが考え出され、芸術組織の中にはミッション達成のために実践をしているところもある。

オーディエンス・ディベロップメントとは、アートに参加するための障壁barrierをなくし、アクセスを容易にすることを企図したものであり、障壁には、経済的障壁（所得格差等）、物理的障壁（建物、設備、交通等）、地理的障壁（地域間による文化的格差等）、制度的障壁（法令等）、文化的障壁（言語、習慣等）、心理的障壁などが考えられる。最近では情報やテクノロジーの格差も考慮する必要がある。世界人権宣言や国際人権規約などにもうたわれている通り、文化的に生きること、文化に関与することは人間固有の権利（＝文化権）であるという考えに基づくものである。一般のマーケティングにおける新規顧客の獲得、トライアル誘導といったことと表面的には類似しているように見えるかもしれないが、売れる・売れないという問題から端を発していないということとは、理解しておく必要がある。日本ではアウトリーチという言い方で、一九九〇年代後半から紹介され始めている。

多くの国で、異なる時代に調査を行っても、ハイ・アートの消費者には共通した特徴が見出され、それは高学歴、高所得、特定の層の年齢（多くの場合は中高年）、特定の人種といった調査結果である。第二章で説明したように、非営利芸術組織は市場の失敗が起こる領域で活動をすることが多いというのが、現在の理論的な説明である。その領域はインカム・ギャップが生ずるので、営利企業が参入しにくく、しかし社会に必要な領域と考えられる。かといって、インカム・ギャップの分を利用者の料金にすべて転嫁するわけにもいかず、非営利芸術組織はコストを下回るチケット価格に設定する場合が多い。不足分は助成収入を獲得する努力をするわけだが、公的補助によりその不足分を補うことはしばしばありうることである。オーディエンスが高所得者層に偏っている芸術組織に対して公的補助をするならば、（本来ならば税金では低所得者層の支援をすべきなのに）高所得者層が支払うチケット料金の一部を公的に負担していることになり、逆進的な状態になってしまう。この問題は欧米では一九六〇年代から議論され、是正が求められてきたことである。

四・三・二　習い覚える嗜好

ある種の食べ物が、最初に食べたときは美味しいと思わなくても、繰り返し何度も食べているうちに次第に美味しいと思うようになることがある。これは「習い覚える嗜好 Acquired Taste」の一例である。James Heilbrun と Charles M. Gray は、「芸術は『習い覚える嗜好』といえる。その嗜好を育てていくためには、芸術に触れる機会がなければならないという意味においてである。

おそらく、適切な環境で、かなり長い間触れる機会がなければならないのである」（筆者訳[21]）と指摘している。もしこれが正しく、芸術の価値がわかるまでに時間や経験や知識が必要であるならば、芸術の嗜好が十分に涵養されていない人々は、すぐには芸術組織の顧客になりえないということになる。

四・三・三　文化的オムニボアとユニボア

オムニボアとは雑食性のことであり、ユニボアとは単食性（偏食）のことである。そして、文化的オムニボアとはハイ・カルチャーからポピュラー・カルチャーまで、アートからエンターテインメントまで、幅広い文化を消費する人々のことを意味する。ハイ・アートは高学歴の消費者が楽しみ、ポピュラー・アートはそうではない消費者が楽しむ、それぞれがユニボアと思われていた。しかし近年は、高学歴の消費者はポピュラー・カルチャーもハイ・カルチャーも幅広く消費する文化的オムニボアとなる傾向が見られるという研究結果がある。こういった議論はアメリカのPetersonらの研究[22]を契機として始まったが、この考えを日本にあてはめ、日本ではどのような状況であるのか、日本でもこれと同じ傾向が見られるかを調べた研究もある[23]。自分の関与するアート・フォームにどのような傾向が見られるかも、アーツ・マーケティングにおける重要事項であり、過去の知見の蓄積を踏まえた上で実施する必要がある。

四・三・四　文化資本

フランスの社会学者 Pierre Bourdieu は、経済学における資本の概念を拡張し、「文化資本」という概念を提唱した。そして、親から子へ「経済資本」(お金、不動産等)を引き継ぐように、文化資本も受け渡されると考えた。ブルデューは文化資本を分類し、物質として所有可能な「客体化された文化資本」(本、美術品等)、「制度化された文化資本」(学歴、資格等)、「身体化された文化資本」(知識・教養、感性、言葉使い・振る舞い等)の三つに分けている。[24] このように、芸術の素養やリテラシーも世代間で相続されるとしたら、芸術組織の顧客層もある程度固定化していると も考えられる。

四・三・五　マーケティング・マイオピア

この節も終わりに近づいたが、Theodore Levitt が一九六〇年にハーバード・ビジネス・レビュー誌上で発表した古典的な論文「マーケティング・マイオピア(マーケティング近視眼)[25]」にも触れておきたい。近くしか見えていないマーケティングに警鐘を鳴らしたこの論文は影響力があり、複数回日本語訳もされている。この論文で挙げられている事例の一つにアメリカの鉄道会社がある。当時すでに衰退し始めていたアメリカの鉄道業界は、自らを鉄道という製品の事業と製品中心に定義し、移動の手段という顧客の視点で考えなかったために、自動車や航空機など他の産業の後塵を拝することになった。製品を売るということよりも、顧客のニーズを満たすことに注力した方が長期的に見れば効果的である、というのがこの論文の主なポイントである。もちろんこの論文はアートに限ったマーケティングについて書いてあるわけではなく、あらゆる製品のマーケティングにあてはまる内容であるが、自らを芸術団体、創造団体とだけ考えている実演団体などには、一定の示唆があると筆者は考えている。

四・四　この章のおわりに

アートのマーケティングは社会学等の他分野からの影響も受けつつ進展しているといってよいだろう。マーケティングは、専門化・分化が進んでおり、芸術組織に有用な個別分野もある。芸術組織といっても、関係するアート・フォームや事業形態も様々である。実演芸術や美術館の場合は公演や展覧会の鑑賞というサービス（無形財）を提供することが主たる製品であるが、周辺サービス（飲食サービス等）や有形財（物品の販売等）も扱う場合がある。その他の種類の組織の中には、実際の作品（有形財）の売買に関与する組織もあるだろう（ギャラリー等）。実演芸術組織は主にサービスを提供している。サービス（無形財）の提供に関与している組織には、サービス・マーケティングという分野が適用可能である。

顧客との関係構築はどの芸術組織にとっても最重要であるし、ブランド構築も取り組まなければならない事項である。これらに対応するのは、関係性マーケティング（リレーションシップ・マーケティング）やブランド論である。急激に重要性が増し、手法も拡大しているeマーケティング、デジタル・マーケティング、インフルエンサー・マーケティングといった分野は今後不可欠になってくることはほぼ確実である。

第五章　ファンドレイジング

五・一　ファンドレイジングにまつわる用語

ファンドレイジング Fundraising とは、広義の意味と狭義の意味が考えられる。最広義には、補助金、助成金、寄付金、協賛金、会費等の獲得に加えて、借入金や起債等による資金調達も含める解釈もある。しかし、アーツ・マネジメント分野での一般的な意味としては、返済の義務がある借入金や起債等は含まず、補助金、助成金、寄付金、協賛金、会費等の助成収入の獲得のみを意味する狭義で使用されることが多い。本書で採用する立場は、マーケティングが事業収入の獲得の分野であるのに対し、ファンドレイジングは助成収入の獲得の分野というとらえ方である。ただし、学問分野としてのマーケティングの手法は、ファンドレイジングにも採り入れられている。なお、ファンドレイジングのために行う業務の中で、補助金・助成金の申請書を書く作業はグラント・ライティング Grant Writing と呼ばれる。

ＣＳＲ（Corporate Social Responsibility）という語は、「企業の社会的責任」と訳され、企業側から社会的責任を果たすための、(芸術や文化への支援も含む)種々の領域での社会貢献活動のことを意味する。(このような社会貢献活動はフィランソロピーともいわれるし、日本では芸術や文化を対象とした企業の支援を「企業メセナ」という言い方もする。)芸術組織から企業に対し支援への働きかけをすることはファンドレイジングであり、つまりCSRと芸術組織のファンドレイジングは反対の方向性を持つ。

文化政策は、主として国や地方自治体を主体としたものであり、その中に芸術組織への支援や補助等も含む。芸術組織を主体として政府(中央政府と地方政府)に対し補助金等の要請をすることはファンドレイジングであり、これらも主体と客体が逆であり、反対の方向性を持つ。

Development は開発という意味であるが、アーツ・マネジメント分野においてディベロップメントと使用する場合は、寄付や補助金等(寄付者や補助金提供者等)の開発という特定の意味で使用されることが多い。部署名としてディベロップメント部と使用されるときは、寄付金・補助金・スポンサーシップ等を獲得するための部署であることが多い。

スポンサーシップという語も、例えばテレビ番組のスポンサー、CMスポンサー、イベントのスポンサー、スポンサード・オーケストラなど、日本では様々な場面で多義に使用されている現状がある。アーツ・マネジメント分野における海外の使用例としては、スポンサーシップとは、企業が芸術組織に金銭ほかの支援をする対価として、芸術組織のブランド・イメージの使用や、

図5.1

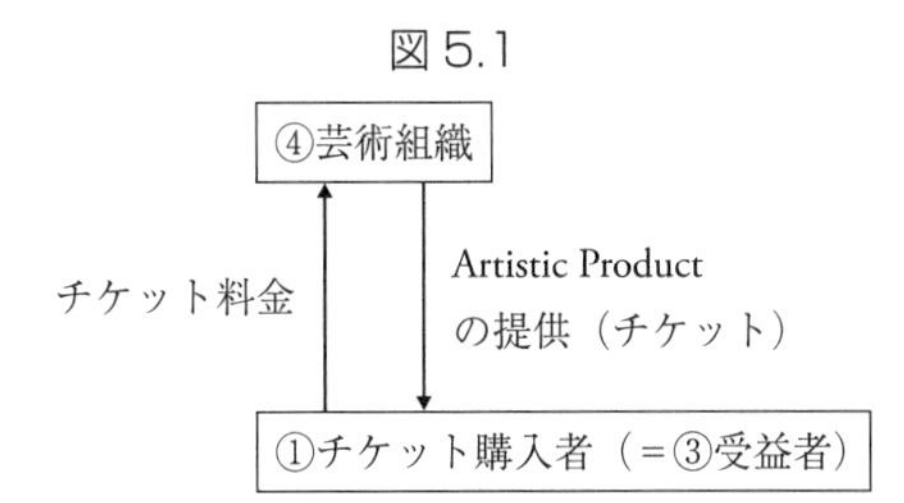

企業にはないが芸術組織が有している顧客層へのアクセスの権利を得るなど、芸術組織から企業への反対給付があるもののことを意味する説明もある。(1)

五・二　ファンドレイジングとマーケティング

顧客がお金を払うという行為でも、芸術組織のチケットを購入して公演に行く場合と、芸術組織に寄付をする場合とで、どのように異なるのか、①チケット購入者（利用者）、②寄付者、③受益者、④芸術組織の四つの視点から比較して考えてみたい。①チケットの購入者はチケット料金を支払う代わりに、④芸術組織の製品 Artistic Product を鑑賞する権利ほかの便益を得ることができ、①チケット購入者が③受益者でもある（図5・1）。（前述の通り、非営利組織の場合は利用者がコストを全額負担しない場合もある。）

芸術組織への寄付の場合は、②寄付者が寄付をしても④芸術組織から便益を得ることは基本的にない。つまり反対給付がないということであ

図 5.2

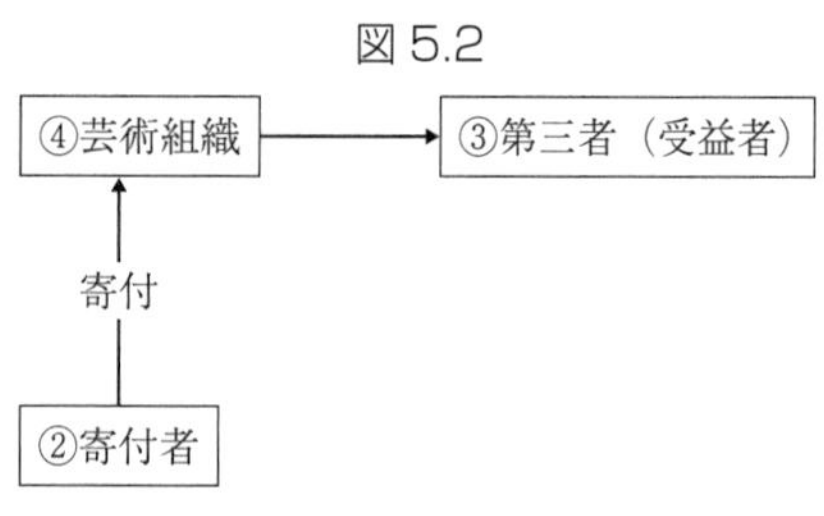

る。寄付は、②寄付者とは別の第三者（③受益者）の利益のために使用される（図5・2）。（寄付者は税制上の優遇措置を受けることはある。）

芸術分野だとわかりにくいかもしれないが、医療、福祉、国際協力、災害救援などの分野を例にとって考えてみるとよりわかりやすい。非営利組織は、個人の力では成し遂げられないようなスキルやノウハウ、組織体制等を持っている。例えば災害救援や国際協力分野で困っている人の役に立ちたいと思っても、個人の力ではお金や物資を必要な人に到達させるだけでも困難が伴う。非営利組織は特定の専門分野でのスキルやノウハウやネットワーク等をもって、より効率的かつ効果的に目的を達成することができる。個人が自分の力で社会貢献をしようとするよりも、非営利組織に寄付をした方が目的のためには効果的な場合が多い。これは芸術分野でも同様なはずである。非営利組織側は自分たちのミッションを寄付見込み者に理解してもらえるようアピールするとともに、得られた資金を無駄なく効率的かつ効果的に使う経営能力があることもアピールすべきである。とはいえ、非営利組織の経営全体のことを考えると、寄付を得ることはミッションを達成するためであると同時に、インカム・ギャップを埋めるという事業継続のための財務的な一面があることも理解しなくてはならない。寄付や補助等を得る芸術組織側は、寄付金や補助金は（自分がもらってしまったものというわけではなく）ミッション達成のために寄付者から資源を預かっている受託者 fiduciary であるという意識を持つべきである。

五・三　ファンドレイジングの分類

次に、芸術組織に対する支援はどのようなものがあるのか。ここでは、誰が、何を、どのように、どのような目的・理由・動機で、支援するかという視点で整理をしたい。国別の寄付の状況、傾向等に関しては、別の調査を参照されたい。日本では『寄付白書』が、アメリカでは『Giving USA』が出版されている。政府統計の中にも関連するものがある。

支援の主体

誰が支援するか、つまり支援の主体であるが、Ⓐ個人、Ⓑ集団や組織とにまず分けられ、集団や組織等はさらにⒷ―1政府 Government、Ⓑ―2営利組織（企業 Corporation）、Ⓑ―3非営利組織、Ⓑ―4その他、に分けられる。Ⓑ―1の政府 Government が関与するならば、それは国や地方自治体の文化政策の一環ということになる。支援元がⒷ―2営利組織（企業Corporation）であれば、CSR、企業メセナ、フィランソロピーに関係することになる。Ⓑ―3非営利組織には支援を目的とする助成財団Foundationや中間支援組織Intermediaryと呼ばれる組織などがある。支援活動が組織の活動のすべてである組織と一部である組織とがある。また、財団の中には、企業が出捐（しゅつえん）等をしたり、運営に参画したりしている「企業財団」もあり、その実態をどうとらえるかは難しいところである。Ⓑ―4その他の個人ではないグループが寄付等の行為を行うこともある。

目的・理由・動機

芸術への支援の目的・理由・動機は、基本的には社会貢献のため、（利己主義egoismの対義語である）利他主義altruism、社会への協調行動であろう。ところが、実際はそれほど単純ではなく、利他主義とは言い切れない動機も数々指摘される。それらのうちのひとつは、互酬性・互恵主義reciprocity、互恵的利他主義といった動機に基づく行動である。要するに、相互の助け合い、今良いことをすれば後で自分に返ってくるかもしれない、といったことである。また、社会的なアピール、社会的なディスプレイ（誇示）の場合もあるだろうし、芸術や文化への支援の場合は、自分の嗜好や趣味との関連ということも一定程度の確率であるだろう。タックス・インセンティブ、つまり税制上の優遇措置があるから寄付をする人もいるし、頼まれたから、おつきあいのため、寄付の仕方を教えてもらったから、といったそれほど主体的ではない理由もある。極端な例では、強制されて行ったという自由意志とはいえない場合もあるだろう。

企業に関していえば、企業がＣＳＲの活動（ＳＤＧｓ経営等も含む）を実施するのは、純粋に社会貢献活動であるのか、それともＣＳＲ活動を企業が行うと正の効果（企業イメージの向上、社員のモラールの向上、透明性の確保、企業倫理の向上、利益や企業価値の向上など）が見られるのか、というのが研究上の関心事である。多くの分野がある中で、芸術分野へのＣＳＲに限定した研究は多くはないので、進展が望まれる。

支援の種類

支援の種類は、**即納型寄付** Outright Gifts と**繰り延べ型寄付** Deferred/Planned Gifts（後日実行されるもの）に分けられる。

それぞれの方法は、現金の場合もあるし、現金以外の**現物寄付** In-kind Donation の場合もある。現物寄付には、株式等の有価証券、土地・建物・構築物等の不動産、機器備品、美術品、宝飾品などの可能性がある。繰り延べ型寄付には、**遺贈** Bequest などが含まれる。また、公益活動のため金銭等の財産を信託銀行等に委託する**公益信託**という制度もある。

そのほか、芸術組織へのボランティアもある。**ボランティア**は、寄付等とは別のものであるが、自分の時間の寄付、労働力の寄付というとらえ方もある。特に、弁護士、会計士、ICTなど専門知識により支援をする場合は、**プロボノ**という言い方をする。

マッチング・グラントあるいは**チャレンジ・グラント**とは、公的な補助額に対して一定割合（一対一、一対三など）で他からのファンドレイジングの義務を芸術組織に課す制度である[2]。芸術組織のファンドレイジングの活性化やファンドレイジング能力の向上を促す意味もある。**マッチング・ギフト**は、社員がした寄付の額に対し、一定割合で企業側も上乗せして寄付をする制度であり、社員と企業が協力して社会貢献をすることになり、社員の社会貢献を促すことにもなる。ICTを活用した**クラウドファンディング**も近年盛んとなっている。

このように、様々な種類のファンドレイジングがあるが、少数の財源に偏って依存すると、その財源が急激に減少したときに、資金不足に陥る可能性がある。芸術組織がファンドレイジングをする対象も多様な方が望ましく、その方がリスクを軽減することができる。

五・四　ギビング・テーブル

表5・1はギビング・テーブルと呼ばれるものである。この表の内容は架空のものであるが、個人からの寄付の一例と考えることにしよう。表は、一番左の列から、寄付者の人数、個々の人

表5.1 ギビング・テーブル

人数	寄付額（円）	合計（円）	累計（円）	相対度数
1	5,000,000	5,000,000	5,000,000	9.8%
2	3,000,000	6,000,000	11,000,000	11.7%
3	2,000,000	6,000,000	17,000,000	11.7%
4	1,000,000	4,000,000	21,000,000	7.8%
8	500,000	4,000,000	25,000,000	7.8%
15	250,000	3,750,000	28,750,000	7.3%
35	100,000	3,500,000	35,250,000	6.8%
70	50,000	3,500,000	35,750,000	6.8%
150	30,000	4,500,000	40,250,000	8.8%
300	20,000	6,000,000	46,250,000	11.8%
500	10,000	5,000,000	51,250,000	9.8%
1,088		51,250,000		100.0%

が寄付した額、階級別の合計、累計（上からその階級までの合計）、相対度数（全体における各階級の金額のパーセンテージ）を表している。これを見てわかることは、上から三番目の階級までの六人の寄付者が全体の三三・二%の額を寄付しており、上から五番目の階級までの一八人の寄付者が全体の四八・八%の額を寄付しているということである。これは架空の例であるが、もしファンドレイジングの効率を求めるのなら、高額寄付者からあたっていくとよいことになる。全寄付者一〇八八人のうち、一八人に寄付のお願いをして成功すれば、五〇%近くの寄付が集まってしまうからである。このギビング・テーブルは、このように寄付の傾向を知り、ファンドレイジングの方針を決める際に有用である。アメリカの個人寄付はこの表のような傾向を示すことが多いが、日本ある

いは他国の傾向は異なるかもしれないし、団体によっても差異があると思われる。分析的にファンドレイジングをすれば、できるだけ多くの額を獲得するための効果的な方法と、できるだけ低いファンドレイジング・コストでそれを行う効率的な方法を見つけ出せる可能性がある。

おわりに

本書のねらいは、アーツ・マネジメントの歴史と目的、基本概念、標準的なアーツ・マネジメント教育の内容と体系について理解していただくことにある。具体的な内容に関しては、基幹分野である非営利組織論、組織理論、マーケティング、ファンドレイジングの各基礎事項を学んだ。各分野の内容は、紙面の都合で基礎的な内容に留めざるを得なかったが、逆にいえば、本書に掲載されている内容はアーツ・マネジメントの学習者にとって必ず知っていなければならない内容ということになる。会計（財務会計、管理会計）、ファイナンス、経営戦略論等はほとんど含めることができなかったが、掲載していないのは紙面の都合であって、重要度が低いからではない。具体的な事例も残念ながら含めることはできなかったが、理論を通してアーツ・マネジメントの現場を見るようにしていただくと、アーツ・マネジメントを未習であったときに比べて、違った景色が見えてくるはずである。アーツ・マネジメントの世界は、複雑で深遠なアートという製品や社会的なミッションに関係するので、企業経営と比べても内容が浅いということはないし、芸術組織のマネジメントはむしろ複雑であるように思う。本書をきっかけとして、発展的な学習や研究に進んでいただくことを希望するし、さらに日本のアーツ・マネジメントが普及し発展していくことを切に願っている。

注

第一章

（1）米屋尚子「海外のアート・アドミニストレーション教育―イギリス・シティ大学」『メセナ』一六号（企業メセナ協議会、一九九四年）、二〇頁。
「日本ではアート・マネージメントという言葉の方が流布しているようだが、正確には、この分野の高等教育は1つ以上の芸術ジャンルのマネージメントとして発展してきたので、アーツ（arts）・マネージメントと複数形で呼ぶべきだろう。」

（2）William J. Byrnes, *Management and the Arts*, 5th ed. (New York: Focal Press, 2015), 73-100.

（3）Richard A. Peterson, "From Impresario to Arts Administrators: Formal Accountability in Nonprofit Cultural Organizations," in *Nonprofit Enterprises in the Arts*, ed. Paul DiMaggio (New York: Oxford University Press, 1986), 161-183.

（4）*Training Arts Administrators: Report of the Enquiry into Arts Administration Training* (London: Arts Council of Great Britain, 1971), 1-18.

（5）*Training Arts Administrators* の一頁と七頁には Regent Street Polytechnic という校名も書かれている。

（6）*The Performing Arts: Problems and Prospects, Rockefeller Panel Report on the Future of Theatre, Dance, Music in America* (New York: McGraw-Hill Book Company, 1965), 165-166.

（7）*Survey of Arts Administration Training 1989-90* (New York: American Council for the Arts, 1989), 79 & 55. University of Cincinnati は一九六七年にパイロット・プログラムを開始し、一九七六年に現行のコースが開始されている。

（8）*Training Arts Administrators*, 20. この資料では一九七一／七二年に開始されたとある。

（9）Ibid., 19.

(10) Stephen A. Greyser, ed., *Cultural Policy and Arts Administration* (Harvard University Press, 1973).

(11) インタビュイー：辻喜代治、インタビュアー：中尾知彦、インタビュー調査日：二〇一八年三月一六日（金）、インタビュー場所：京都。

その後の状況としては、成安女子短期大学は一九九三年（平成五年）に成安造形短期大学となり、滋賀県に成安造形大学が設立される。このとき、「芸術計画」という授業が開設され、短大における「アートプログラミング」の授業は翌一九九四年度（平成六年度）で終了した。

(12) 小林進『文化を支える　アート・マネージメント《人材・財政・企画》』（朝日出版社、一九九四年）、二七―二八頁。小林進『芸術と経営』（雄山社、二〇〇四年）、二一一頁には「一九八五年からこの教育に携わってきました」とある。

(13) アート・プロデュースというのは造語である。英語では、オーケストラ、オペラ、演劇、ダンス等のマネジメントのことを通常は Performing Arts Management という。それに対し、美術館やギャラリー等のマネジメントのことは Visual Arts Management という。そのほか、Heritage Management などの分野もある。

(14) 武蔵野美術大学の一九八一～一九九四年度の授業資料を確認。

(15) 『東成学園80年史』（学校法人東成学園、二〇二一年）、九二―九四頁。

(16) 同書、九一&九四頁。

(17) 総務庁行政監察局編『文化行政の現状と課題―21世紀に向けた芸術文化の振興と文化財の保護』、（一九九六年一月一六日）、三七―三九、四九―五七頁。

芸術文化交流の会『日本におけるアートマネジメント研究および研修実態調査―一九九六年度調査報告書』、（一九九七年六月八日）。

（18）文部省編『我が国の文教施策』（一九九三年度）、五一頁。「こうしたアートマネージメントの必要性が注目されるようになった背景には、全国的に文化ホール、美術館等の文化施設の整備が進んだことや、民間企業による芸術文化活動の気運が高まったこと、芸術団体が創造活動を活発に行うためには、これを支える経営基盤の強化が課題となっていることなどが考えられる。」
文化庁『我が国の文化と文化行政』（一九八八年六月）、一六四頁。

（19）*Training Arts Administrators*, 4-6.

（20）Ibid., 4.

（21）Ibid., 8.

（22）Ibid., 19.

（23）この分業に関してはいくつかの意見があり、その一つには芸術組織の経営は芸術家が担うべきだというものがある。芸術組織の経営を芸術家が担うことを「自主運営 self-governing」ということがある。ロンドンの四つのオーケストラ、ロンドン交響楽団、ロンドン・フィルハーモニー管弦楽団、ロイヤル・フィルハーモニー管弦楽団、フィルハーモニア管弦楽団は自主運営の団体として有名な例である。自主運営団体の芸術家の運営参画には様々な程度がある。ロンドンの四つの自主運営オーケストラでは経営の意思決定に演奏家が関わっているわけだが、演奏家が例えば会計処理やチケット販売や会場案内などまでやっているわけではない。それらの業務は専門化したスタッフが担当している。しかし、もっと小規模な芸術組織では、芸術家がそのようなマネジメント部門の業務まで行っているところもあるかもしれない。別の意見としては、芸術の訓練と経営の訓練は別であるので、知識や経験がない素人が関わるべきではないというものがある。他の産業で考えてみると、製造業の生産部門には技術者がいたり経験を積んだ職工もいたりする。ところが、そういった生産現場の仕事の知識や経験が深くなっても、例えば財務や経営戦略等の知識が増えていくことはない。別の仕事だからである。芸術組織の生産部門にあたる芸術家は、いくら芸術に長けていても、経営に長けるわけではない。また、専門領域に加えて専門でない領域の業務を行うことは労力的・時間的にも能力的にも困難が伴う。よって、分業をする方が効率的で望ましいというのが別の対照的な意見であり、分業の発想につながる。もっとも、従業員の運営参画には正の効果もあると考えられており、会社には技術畑出身の取締役もいる場合があるので、芸術家が経営に関与することは方法によっては負の効果ばかりではないと考えられる。

(24) *Training Arts Administrators*, 5, 7, & 8.

(25) *Cultural Policy and Arts Administration*, Ⅶ.

(26) Harvey Shore, *Arts Administration and Management: A Guide for Arts Administrators and Their Staffs* (Westport, CT: Quorum Books, 1987), 11.

(27) Tem Horwitz, *Arts Administration: How to Set Up and Run a Successful Nonprofit Arts Organizations* (Chicago: Chicago Review Press, 1978).

(28) ピーター・F・ドラッカー著、上田惇生訳『ドラッカー名著集⑬ マネジメント［上］――課題、責任、実践』（ダイヤモンド社、二〇〇八年）、四三頁。Peter F. Drucker, *Management: Tasks, Responsibilities, Practices* (New York: Harper & Row, 1973; New York: Harper Business, 1993), 40. Citations refer to the Harper Business edition.

第二章

(1) 出捐者が所有者のごとくふるまう例はしばしば見られる。

(2) いくつかの芸術組織の観察からは、組織経営上の意思決定と、芸術活動上（生産活動上）の意思決定は区別して考えなければならない。芸術活動上の意思決定を構成員自らが行っている組織で有名なものには、オルフェウス室内管弦楽団がある。

（3） Lester M. Salamon and Helmut K. Anheier, *Defining the Nonprofit Sector: A Cross-national Analysis* (Manchester: Manchester University Press, 1997), 33-34.
Maria Brenton, *The Voluntary Sector in British Social Services* (London: Longman, 1985), 9.

（4） 市場の失敗が起こるのは、不完全競争市場下でパレート効率性が達成されていないときであり、その原因には外部性、公共財、情報の非対称性、自然独占などが挙げられる。

（5） Burton A. Weisbrod, "Toward a Theory of the Voluntary Non-Profit Sector in a Three-Sector Economy," in *Altruism, Morality, and Economic Theory*, ed., Edmund S. Phelps (New York: Russell Sage Foundation, 1975), 171-195.

（6） Henry B. Hansmann, "The Role of Nonprofit Enterprise," *Yale Law Journal* 89, no. 5 (April 1980): 835-902.

（7） Lester M. Salamon, *Partners in Public Service* (Baltimore: The Johns Hopkins University Press, 1995), 41. レスター・M・サラモン著、江上哲監訳『ＮＰＯと公共サービス―政府と民間のパートナーシップ』（ミネルヴァ書房、二〇〇七年）、四八頁。

（8） Salamon, *Partners in Public Service*, 44-48.『ＮＰＯと公共サービス―政府と民間のパートナーシップ』、五一―五六頁。

（9） Walter W. Powell and Patricia Bromley, ed., *The Nonprofit Sector: A Research Handbook*, 3rd ed. (Stanford CA: Stanford University Press, 2020), 236.

（10） William J. Baumol and William G. Bowen, *Performing Arts —The Economic Dilemma: A Study of Problems Common to Theater, Opera, Music and Dance* (New York: The Twenties Century Fund. 1966). ウィリアム・J・ボウモル／ウィリア

ム・G・ボウエン著、池上惇・渡辺守章監訳『舞台芸術―芸術と経済のジレンマ』（芸団協出版部、一九九四年）。

第三章

（1）チェスター・I・バーナード著、山本安次郎・田杉競・飯野春樹訳『新訳　経営者の役割』（ダイヤモンド社、二〇一九年）、七五頁。

（2）https://www.panasonic.com/jp/corporate/history/konosuke-matsushita/053.html（アクセス日時：二〇二一年四月二九日）

（3）https://www.sony.com/ja/SonyInfo/CorporateInfo/History/SonyHistory/2-24.html（アクセス日時：二〇二一年四月二九日）

（4）医療法第四十六条の六「医療法人（次項に規定する医療法人を除く。）の理事のうち一人は、理事長とし、医師又は歯科医師である理事のうちから選出する。ただし、都道府県知事の認可を受けた場合は、医師又は歯科医師でない理事のうちから選出することができる。」

（5）『医療と社会』第二六巻第四号（二〇一七年）、三五八–三五九頁。

第四章

（1）P・F・ドラッカー著、上田惇夫訳『ドラッカー名著集⑬　マネジメント［上］――課題、責任、実践』（ダイヤモンド社、二〇〇八年）、七八–七九頁。Peter F. Drucker, *Management: Tasks, Responsibilities, Practices*, 64-65. Citations refer to the Harper Business edition.

（2）フィリップ・コトラー、ケビン・レーン・ケラー『コトラー&ケラーのマーケティング・マネジメント（第

12版）』（ピアソン・エデュケーション、二〇〇八年）、七頁。

（3） Philip Kotler and Sidney J. Levy, "Broadening the Concept of Marketing," *Journal of Marketing* Vol. 33 (January 1969): 10-15.

（4） ソーシャルマーケティング、ソサイエタル・マーケティングの定義はそれぞれ一定ではなく、論者により相違がある。大きく分けて、非営利組織のマーケティングという意味と、営利企業が行う社会のことを考慮に入れたマーケティングという意味が二つの柱であろう。

（5） フランソワ・コルベールは、（マーケティングにおける）「マーケット・セグメンテーションは、漠然とした集団である潜在的オーディエンスのニーズと嗜好に合わせて作品を作ろうとするプレッシャーから、アーティストを守ること」（筆者訳）といっている。Francois Colbert, *Marketing Culture and the Arts*, 5th ed. (HEC Montreal, 2018), 72.

（6） フィリップ・コトラー&ケビン・ケラー『コトラー&ケラーのマーケティング・マネジメント（第12版）』、三五頁。

（7） Michael E. Porter, *Competitive Strategy: Techniques for Analyzing Industries and Competitors* (New York: Free Press, 1980). マイケル・E・ポーター著、土岐坤・中辻萬治・服部照夫訳『競争の戦略』（ダイヤモンド社、一九八二年）。

（8） Sharon M. Oster, *Strategic Management for Nonprofit Organizations* (Oxford University Press, 1995),30. シャロン・M・オスター著、河口弘雄監訳『ＮＰＯの戦略マネジメント―理論とケース』（ミネルヴァ書房、二〇〇五年）、三二頁。

（9） Michael E. Porter, *Competitive Advantage* (The Free Press, 1985) 33-53. マイケル・E・ポーター著、土岐坤・中辻萬治・小野寺武夫訳『競争優位の戦略（15版）』（ダイヤモンド社、一九九五年）、四五―六八頁。

（10） Philip Kotler and Gary Armstrong, *Principle of Marketing*, 17th ed. (Pearson Education Limited, 2018), 38.　顧客価値（顧客知覚価値）＝顧客知覚便益÷顧客知覚費用、と説明される場合もある。

（11） https://www.hbs.edu/ris/Publication%20Files/Strategy_for_Museuems_20060427_8d7858e7-8066-4cdb-a790-986f55e87ae4.pdf（アクセス日時：二〇二二年五月七日）

（12） Stephen Preece, "The Performing Arts Value Chain," *International Journal of Arts Management* Vol. 8, No. 1 (Fall 2005): 21-32.

（13） Philip Kotler and Joanne Scheff, *Standing Room Only: Strategy for Marketing the Performing Arts* (Boston, Massachusetts: Harvard Business School Press, 1997), 54. を参考にして筆者が追加修正をした。

（14） Alvin H. Reiss, *The Arts Management Reader* (New York: Marcel Dekker Inc., 1979), 332-333. Bradley G. Morison and Julie Gordon Dalgleish, *Waiting in the Wings: A Larger Audience for the Arts and How to Develop it*, (New York: Arts Council for the Arts, 1987), 50-51&171-174. M. Melanie Beene, Patricia A. Mitchell, and Fenton Johnson, *Autopsy of an Orchestra: An Analysis of Factors Contributing to the Bankruptcy of the Oakland Symphony Orchestra Association*, (Jan. 1, 1988), 16. を参考にした。

（15） Melvin T. Copeland, "Relation of Consumer's Buying Habits to Marketing Methods," *Harvard Business Review* Vol.1, Issue 3, (Apr 1923): 282-289.

（16） Francois Colbert, *Marketing Culture and the Arts*, 5th ed., 164.

（17） フィリップ・コトラー、ゲイリー・アームストロング著、和田充夫監訳『マーケティング原理　第9版―基礎理論から実践戦略まで』（ダイヤモンド社／ピアソン・エデュケーション、二〇〇三年）、三四九頁。
Philip Kotler and Gary Armstrong, *Principles of Marketing*, 17th ed., (Global Edition, Pearson, 2018), 245.

（18） Stephen L. Vargo and Robert Lusch, "Evolving to a New Dominant Logic for Marketing," *Journal of Marketing* Vol. 68, No. 1, (2004): 1-17.

（19） Theodore Levitt, *The Marketing Mode* (New York: McGraw Hill, Inc., 1969),1 にはMcGivenaと書かれているが、*The Marketing Imagination* (New York: Free Press, 1983), 128にはMcGinnevaと書かれている。

（20） フィリップ・コトラー、ケビン・ケラー『コトラー&ケラーのマーケティング・マネジメント（第12版）』（ピアソン・エデュケーション、二〇〇八年）、五四七頁にNagleとHoldenの議論が転用され紹介されている。

（21） James Heilbrun and Charles M. Gray, *The Economics of Art and Culture*, 2nd ed. (New York: Cambridge University Press, 2001), 75.

（22） Richard A. Peterson and Roger M. Kern, "Changing Highbrow Taste: From Snob to Omnivore," *American Sociological Review*, Vol. 61, No. 5 (Oct., 1996): 900-907.

（23） 片岡栄美『趣味の社会学—文化・階層・ジェンダー』（青弓社、二〇一九年）。

（24） ピエール・ブルデュー著、石井洋二郎訳『ディスタンクシオンI』（藤原書店、一九九〇年）、v頁。Pierre Bourdieu, *La Distinction*, (Les Éditions de Minuit,1979).

（25） Theodore Levitt, "Marketing Myopia," *Harvard Business Review* Vol. 38, Issue 4, (Jul/Aug 1960): 45-56.「マーケティング近視眼」『DIAMONDハーバード・ビジネス・レビュー』（ダイヤモンド社、二〇〇一年一一月号）、五二一六九頁。

第五章

（1） Francois Colbert, *Marketing Culture and the Arts*, 5th ed., (HEC Montreal, 2018) 47, 176, & 284-285.

（2） Karen Brook Hopkins and Carolyn Stolper Friedman, *Successful Fundraising for Arts and Cultural Organizations*, 2nd ed. (Westport, CT: Oryx Press, 1997), 38.

中尾　知彦（なかお・ともひこ）
慶應義塾大学文学部准教授。専門はアーツ・マネジメント（特にオーケストラ・マネジメント）。シンシナティ大学音楽院大学院課程ならびに同大学経営大学院修了。

慶應義塾大学三田哲学会叢書
アーツ・マネジメントの基本

2021年9月25日　初版第1刷発行

著者―――――中尾知彦
発行―――――慶應義塾大学三田哲学会
〒108-8345　東京都港区三田2-15-45
http://mitatetsu.keio.ac.jp/
制作・発売所――慶應義塾大学出版会株式会社
〒108-8346　東京都港区三田2-19-30
TEL〔編集部〕03-3451-0931
〔営業部〕03-3451-3584〈ご注文〉
〃　03-3451-6926
FAX〔営業部〕03-3451-3122
振替　00190-8-155497
https://www.keio-up.co.jp/
装丁―――――大倉真一郎
組版―――――株式会社キャップス
印刷・製本―――中央精版印刷株式会社
カバー印刷―――株式会社太平印刷社

Printed in Japan　ISBN978-4-7664-2766-0

「慶應義塾大学三田哲学会叢書」の刊行にあたって

このたび三田哲学会では叢書の刊行を行います。本学会は、1910年、文学科主任川合貞一が中心となり哲学専攻において三田哲学会として発足しました。1858年に蘭学塾として開かれ、1868年に慶應義塾と命名された義塾は、1890年に大学部を設置し、文学、理財、法律の3科が生まれました。文学科には哲学専攻、史学専攻、文学専攻の3専攻がありました。三田哲学会はこの哲学専攻を中心にその関連諸科学の研究普及および相互理解をはかることを目的にしています。

その後、1925年、三田出身の哲学、倫理学、社会学、心理学、教育学などの広い意味での哲学思想に関心をもつ百数十名の教員・研究者が集まり、相互の学問の交流を通して三田における広義の哲学を一層発展させようと意図して現在の形の三田哲学会が結成されます。現在会員は慶應義塾大学文学部の7専攻（哲学、倫理学、美学美術史学、社会学、心理学、教育学、人間科学）の専任教員と学部学生、同大学院文学研究科の2専攻（哲学・倫理学、美学美術史学）の専任教員と大学院生、および本会の趣旨に賛同する者によって構成されています。

1926年に学会誌『哲学』を創刊し、以降『哲学』の刊行を軸とする学会活動を続けてきました。『哲学』は主に専門論文が掲載される場で、研究の深化や研究者間の相互理解には資するものです。しかし、三田哲学会創立100周年にあたり、会員の研究成果がより広範な社会に向けて平易な文章で発信される必要性が認められ、その目的にかなう媒体が求められることになります。そこで学会ホームページの充実とならんで、この叢書の発刊が企図されました。

多分野にわたる研究者を抱える三田哲学会は、その分、多方面に関心を広げる学生や一般読者に向けて、専門的な研究成果を生きられる知として伝えていかなければならないでしょう。私物化せず、死物化もせずに、知を公共の中に行き渡らせる媒体となることが、本叢書の目的です。

ars incognita　アルス インコグニタは、ラテン語ですが、「未知の技法」という意味です。慶應義塾の精神のひとつに「自我作古（我より古を作す）」、つまり、前人未踏の新しい分野に挑戦し、たとえ困難や試練が待ち受けていても、それに耐えて開拓に当たるという、勇気と使命感を表した言葉があります。未だ知られることのない知の用法、単なる知識の獲得ではなく、新たな生の技法（ars vivendi）としての知を作り出すという本叢書の精神が、慶應義塾の精神と相まって、表現されていると考えていただければ幸いです。

慶應義塾大学三田哲学会